# S. GANEFF
# TÔ ZOANDO
# COM MUITA VERDADE

EDITORA Labrador

Copyright © 2021 de S. Ganeff
Todos os direitos desta edição reservados à Editora Labrador.

**Coordenação editorial**
Pamela Oliveira

**Preparação de texto**
Gabriela Rocha Ribeiro

**Projeto gráfico, diagramação e capa**
Felipe Rosa

**Revisão**
Leonardo Dantas do Carmo

**Assistência editorial**
Gabriela Castro

**Imagem de capa**
Freepik.com

Dados Internacionais de Catalogação na Publicação (CIP)
Angélica Ilacqua – CRB-8/7057

Ganeff, S.
  Tô zoando: com muita verdade / S. Ganeff. – São Paulo : Labrador, 2020.
  160 p.

ISBN 978-65-5625-097-7

1. Literatura brasileira 2. Poesia brasileira I. Título

20-4474                                                     CDD B869.8

Índices para catálogo sistemático:
1. Literatura brasileira

**EDITORA Labrador**

**Editora Labrador**
Diretor editorial: Daniel Pinsky
Rua Dr. José Elias, 520 – Alto da Lapa
05083-030 – São Paulo – SP
+55 (11) 3641-7446
contato@editoralabrador.com.br
www.editoralabrador.com.br
facebook.com/editoralabrador
instagram.com/editoralabrador

A reprodução de qualquer parte desta obra é ilegal e configura uma apropriação indevida dos direitos intelectuais e patrimoniais da autora.

A editora não é responsável pelo conteúdo deste livro.
Esta é uma obra de ficção. Qualquer semelhança com nomes, pessoas, fatos ou situações da vida real será mera coincidência.

A todos aqueles que se perguntam
se eu estou escrevendo sobre eles:
sim, eu estou.

Mas, se me perguntar, vou dizer:
— Não, claro que não! Quê? Nossa! Nada a ver...

## sumário

- 9 apresentação
- 11 minha pátria amada, Brasil,
- 14 bora,
- 16 perfume
- 19 quantas vezes
- 20 conversa moderna
- 22 deixei um amor nas ruas de Montmartre
- 24 samba
- 25 Fontana di Trevi
- 28 do ouro à prata
- 29 extraordinário
- 32 sabe, Coronavírus
- 34 meu primeiro amor
- 36 visita da madrugada
- 39 cupom
- 41 manifesto da geração
- 43 traição
- 45 quando um escritor se apaixona
- 46 cigarro clandestino
- 48 Mona Brisa
- 53 onde o céu beija o mar
- 56 caro senhor tempo,
- 59 magia cotidiana
- 61 segurança
- 62 burro de carga
- 63 insônia
- 65 quando o amor bate à porta
- 67 papel que grita
- 71 indo
- 74 *jukebox*
- 76 meu queridíssimo Cupido,
- 78 a cola do mundo
- 80 livremente partido
- 82 típico parisiense

84   pré-embarque
86   crise de meia-idade
88   milagre
92   pó de estrela
93   *rockstar*
98   *mi cariño*, Barcelona,
100  medo do coração
101  um grito de surto para o mundo
103  atenção
104  sangue de viajante
105  eu sei
107  amor-próprio
108  o que há de mais amargo
109  crise existencial
110  espelho, espelho meu,
112  segredo de escritor
113  vó portuguesa
114  (des)culpa
115  tipo de gente
117  amor de *fool's gold*
118  como é?
120  *rendez-vous*
123  cinco anos
126  Associação dos Anônimos Injustiçados
128  talvez
130  azar no jogo, sorte no amor
135  jardins
136  eu também quero me apaixonar
138  lenço branco
139  eu te amo
140  mentiras
142  *my dear* Gold Coast,
144  se a terra fosse plana, talvez
147  universo caindo
148  era uma vez um príncipe
151  era uma vez uma princesa
154  *the end*
157  agradecimentos com nomes e motivos

## apresentação

Meu caríssimo leitor,

Oi,
este livro foi feito para você.
Sim, para você.
Apesar de não ser nenhum guru, médium, espírito elevado, agente secreto, anjo rebelde, pirata clandestino, motorista de aplicativo ou a Rainha, eu sei sobre você; muito mais do que imagina.
Sei que em algum momento já teve seu coração partido,
já tomou banho,
já se alimentou,
já se apaixonou e não foi correspondido,
teve que dizer adeus,
olhou para o relógio com pressa,
acordou com os próprios pensamentos,
olhou para o céu esperando pingos de tinta caírem,
sentiu que as estrelas se fechavam a sua volta.
Sei que já se perguntou para onde iria,
teve dúvidas,
já se olhou no espelho e se questionou;
e sei que conhece algumas manifestações de amor.

Conheço esse coraçãozinho aí, que não é
zero quilômetro, mas faz sua alma dançar
mesmo quando está com dor.
Sei que não importa de onde venha ou quem
seja, você vai se identificar com este livro em algum momento.
Aqui não tem muito para onde fugir, ou é
ou foi ou será.
Muito bem, caro leitor, sente-se, acomode-
-se, e com uma respiração profunda e o
peito aberto, seja muito bem-vindo ao livro que já te conhece de cor.

Só não esquece que eu tô zoando. Com muita
verdade.

Com todo o meu amor,
como sempre,
S. Ganeff

Pindorama
22 de abril de 1500

## minha pátria amada, Brasil,

Às vezes a gente corre para o aeroporto em busca de respostas, achando que em um voo longo encontraremos aquilo que está no nosso quintal.

Fazemos reverência ao mundo, com o chapéu na mão, o conhecendo de cor, sem nem ao mesmo saber como cruzar a Ipiranga com a Avenida São João, sem nunca ter aberto os braços no impulso ao ver o Cristo Redentor proteger a cidade inteira.

Minha pátria amada, tu és rica.

Não só do ouro de Minas, mas de sua costa amada com força pelo mar, suas florestas densas que guardam a sete chaves o coração de uma nação e de campos que brincam com a linha do horizonte, mostrando que se pode sonhar até onde a vista alcança.

Brasil, você é feito de marcas de Havaianas impressas na calçada com areia; deixando rastros do familiar trajeto dos pés que saem da praia e vão para um boteco, com a água do mar nas roupas, comer uma feijoada de sábado à tarde.

Toda noite você brilha com as cores do Carnaval; carregando o brilho da purpurina nas bochechas, convida as cidades para dançar, com alegria e folia se perdendo nas ruas. Seja com a batida do funkeiro, com o berimbau do capoeirista ou com o violão do MPB, sua alma se reinventa a cada minuto em fantasias, se tornando o lírico cintilante à luz da lua.

Por ser tão fascinante quanto a própria natureza que se estende da caatinga até o pantanal, com os olhos tão intensos quanto a seca do sertão e as Cataratas do Iguaçu, cada um que te conhece de fato se sente dentro da imensidão da floresta, ouve o canto dos pássaros, sente a pele ser marcada pelo urucum e percebe que, à beira do rio, a Amazônia guarda mais segredos por debaixo de suas vitórias-régias, do que jamais poderá ser compreendido.

Sendo a boa mãe, estende na praia uma canga com brigadeiros, pães de queijo e chimarrão, observando, ao som do samba, seus filhos mais distantes se unirem em uma pelada com o sorriso largo da simples felicidade, pés descalços e o peito aberto. Ensina a todos que, nas regras do futebol, ninguém é diferente, independentemente se sobem o morro da favela ou se descem a Oscar Freire.

Nas pinturas que são marcadas em ruas cinzentas, em museus de vão aberto e rochas milenares da Serra da Capivara, se sente na pele que você, Brasil, é a arte em forma de país. Pintado delicadamente por uma aquarela, fez com que a portuguesa Carmen Miranda usasse frutas na cabeça, desejando um dia ter nascido em forma de brasileira.

Agradeço que as caravelas chegaram às nossas praias e ligaram meu coração a uma única raiz, me presenteando com uma pátria que me deu aos beijos o gingado no corpo e a bola no pé. Para ter o luxo de chamá-la de mãe, Deus deve ser mesmo brasileiro.

Prometa-me, Brasil, que mesmo quando o fogo do mundo se apagar,
   você continuará brilhando com sua chama,
   para sempre,
   Brasil.


Nosso infinito amor,
Corações de brasa

**bora,**

se perder em uma aventura.
Deixar que os nossos corações nos guiem até o aeroporto.
Bora criar memórias;
histórias para contar quando nos sentarmos ao redor de
   uma fogueira.
Vamos ver cidades distantes e descobrir todos os cafés
   escondidos.
Visitar museus quando chover e deixar que a arte nos inspire.
Seguir o sol, permitindo que ele beije nossa pele na praia
   mais deslumbrante.
Nadar pelados sob a luz do luar e acordar com as ondas
   batendo em nossos pés.
Mergulhar nos sete mares,
escalar a montanha mais alta,
acampar com ursos,
viver como nômades por dias,
dançar em tribos.
Maravilhar turistas.
Bora,
vamos ser anônimos em países estrangeiros
e, mesmo assim, vamos nos sentir em casa.
Assistir ao sol nascer
e deixar que o pôr do sol nos assista.
Vamos nos recriar,
nos apaixonar por barulhos e cheiros.
Deixar um pedaço do nosso coração em cada um dos
   quatro cantos.

Sentir todas as estações como vento em nosso cabelo.
Viver da maneira mais extraordinária,
uma respiração ordinária.
O mundo é gigante e somos jovens.
Eu quero ver tudo, antes que escureça.

E se,
só se
você disser não,
eu aceitaria,
ficaria
e te amaria.
Mas, de verdade,
eu realmente preciso ir.

> — À minha mãe,
> que chora quando alguém fala:
> "Criamos os filhos para o mundo".

# perfume

Estava atrasado. Saí com o terno amarrotado, segurando firme minha pasta para que não caísse, enquanto, sem tempo para o elevador, descia as escadas o mais rápido que meus joelhos aguentavam.
Vi de longe o Uber na porta do prédio. O motorista do corsa fuçava o painel do carro, apertando os botões. Abri a porta e sentei no banco traseiro:
— Seu Oswaldo?
— Opa. E você deve ser o Felipe.
— Isso mesmo.
Só deu tempo para isso. Mal tinha colocado o cinto de segurança, soltado minha pasta, e seu Oswaldo nem dera partida, quando o aroma me acertou em cheio.
O ar perfumado entrou pelas narinas e um filme passou por minha cabeça.
Ela.
Era o cheiro dela.
O cheiro que eu tanto sentia, que me fazia sentir em casa, do qual muitas vezes reclamava que era muito doce. O cheiro que tinha uma péssima combinação com ressaca.
— Entrevista? — seu Oswaldo perguntou.
— Hum?
— Você... Tá indo pra uma entrevista?
— Ah, sim, sim. Entrevista. De emprego.
Ele assentiu.

Como seu Oswaldo podia puxar assunto logo agora? Agora que eu sentia o cheiro dela, que me lembrava dela, e a saudade era tanta que o corsa parecia até andar mais devagar.

Fazia muito tempo que aquele cheiro não me abalava.

Imediatamente senti o coração bater mais rápido, o estômago borbulhar, e minha cabeça rodopiou com imagens dela.

Ah, ela...

Fazia tanto tempo.

Fechei os olhos por alguns segundos e a imaginei ali, sentada do meu lado, observando a cidade que passava pela janela.

— Seu Oswaldo?

— Hum.

— E esse cheiro?

— Nem me fale. Até abri a janela para ver se saía. A última passageira deve ter derramado o vidro inteiro, não é possível. Misericórdia.

— E como ela era?

— Perdão?

— A passageira. Como ela era?

Seu Oswaldo me olhou pelo retrovisor, curioso. Então disse:

— Normal. Uma menina mais ou menos da sua idade. Cabelo castanho, pele escura. Bonita. Mas normal.

Olhei pela janela por alguns segundos.

— Posso perguntar o porquê? — seu Oswaldo disse timidamente.

— Ah, é que eu tô sentindo de novo esse cheiro.

— O cheiro *dela*.

— É. O cheiro dela — pausei. — Fazia tanto tempo...

— É, meu filho, para o coração sempre faz.
Seguimos a viagem em silêncio. Seu Oswaldo abrindo ainda mais a janela, no intuito de que o cheiro dela fosse embora. E eu respirava cada vez mais fundo, sem tirá-la da cabeça, desejando com toda minha alma que aquele cheiro não escapasse do corsa.
Só consegui voltar a mim quando saí do carro. Estava livre.
Assim que bati a porta, fiz uma promessa: nunca mais tomaria o remédio para rinite enquanto ela estivesse fora. Só o nariz entupido me pouparia da saudade.
Quando cheguei em casa, liguei para ela sem dar a mínima para o fuso horário. Assim que ela atendeu do quarto de hotel, eu disse:
— Você não vai acreditar no que aconteceu hoje no Uber, por conta desse remédio para rinite...

— Ao Allegra.
Muito obrigado por me devolver o olfato.
Sem você, não respiraria.

**quantas vezes**

— Quantas vezes um coração tem que ser quebrado até achar aquele que não vai estilhaçar ou partir bem no meio?
— Muitas. Inúmeras. Mas não se preocupa, o coração da gente é *flex*.
— E o que acontece se eu parar de acreditar no amor antes de encontrar a pessoa certa?
— No minuto em que bater os olhos na pessoa certa, você vai acreditar mais uma vez no amor.

```
        — Ao seu coraçãozinho que tá doendo.
                   Não se preocupa, não.
              Daqui a pouco vem um idiota
                           e o conserta,
                       só para quebrar
                            de novo.
```

## conversa moderna

— Ai!
— Que foi? — disse olhando para ela, assustado.
— O treco tá doendo...
— Que treco?
Ela olhou para mim com olhos murchos.
— Esse coiso aqui. — Apontou para o tórax. — Perto do negócio.
Balancei a cabeça.
— Quê?
— Ai... O bagulho lá... que tem os lances.
Balancei a cabeça.
— Que bagulho? Que lance?
— Você não quer me ajudar! — ela disse, apontando o dedo para mim.
Percebi que uma lágrima escorria por sua bochecha. Ela passou a mão rapidamente.
— O que tá acontecendo?
— Aquele carinha lá, sabe? Ele zoou o coisinho.
Ela agora tinha um choro abundante estampado em sua face.
— Quê? — disse, me levantando e indo em sua direção.
Ela suspirou:
— Ele deixou todo coisadinho.
— Hum?
— O tal do carinha lá, amigo do outro, machucou o troço.
— Mas o que tá doendo? — perguntei, passando a mão pelo cabelo.

— O bagulho aqui dentro.
— Mas o quê?
Ela apenas soluçava e passava suas mãos por baixo dos olhos em uma tentativa inútil de limpar o rastro preto de rímel que escorria.
— Aponta onde tá doendo — disse, tentando acalmá-la.
Ela apontou para o peito.
— O pulmão? — perguntei, assustado.
— Não! O outro lance — gritou em meio a um soluço.
Balancei a cabeça em negação.
Ela apontou para o seu lado esquerdo enquanto dizia:
— Esse treco aqui.
Foi então que entendi.
— O coração...?
Ela balançou a cabeça.
— É. O coração.
Fui para mais perto dela.
— O que aconteceu?
Ela deu um suspiro e me olhou tristemente.
— Foi aquele carinha lá...
Balancei a cabeça.
— O que tem ele? — perguntei.
— ... que quebrou.

```
      — Ao carinha lá, amigo do outro,
   que coisou o treco, zoando os bagulhos.
```

## deixei um amor nas ruas de Montmartre

Ele me conquistou ao me chamar de *"mademoiselle"*. Mostrou o que os artistas sentem na cidade do amor. Contou os segredos que apenas os pintores sabem; falava em como a liberdade é diferente quando está em aquarela. Disse como toda manhã ia para Saint-Pierre de Montmartre comprar tintas, acenando apenas para os amantes que retratavam, com a alma molhada a cores vibrantes, o *"bonjour"* do sol.

Me levou ao topo da Torre Eiffel, tirando meu fôlego com a vista, sussurrando ao meu ouvido como a cidade era só nossa, *"toi et moi seulement"*.

Atravessamos a Champs-Élysées, correndo entre os turistas, nos espremendo pela multidão, enquanto ele dizia, segurando firme a minha mão, *"sourire"*.

Pulamos da Ponte Alexandre III direto nas águas geladas do Sena, com nossos sapatos nas mãos e o coração na manga. *"Pourquoi pas?"* Gargalhou com os lábios, entregando o frio que sentia, mas eu sabia como o peito queimava.

Sentamos no Trocadéro, deixando os beijos quentes do sol nos secarem lentamente, ele me contava do dia em que Luis XVI e Maria Antonieta fizeram o mesmo, como se tivesse visto a cena com seus próprios olhos.

Observamos a Notre-Dame de longe. Ao nos perdermos pelas ruas, me disse como um parente distante serviu a Napoleão e como seu coração passava por sua própria Revolução Francesa.

Fez com que eu sentisse o triunfo ao me beijar embaixo do Arco.

E no final do dia me levou à Sacre Coeur, dizendo em meu ouvido
"*voilà Paris*".

— Ao Bolsonaro
e à esposa do Macron.

                                                da cabeça

## samba

Eu sei que o seu mundo está acabando bem em cima da sua cabeça, que a fuligem cai em seus cabelos e a fumaça se espalha incontrolavelmente pelos ares.
Mas,
tô aqui para sambar com você sobre os escombros e as ruínas.
Abrindo alas pelo caos, vendo as baianas girarem sob chamas, o mestre-sala explodindo. Sendo porta-bandeiras da destruição. Fazendo do mundo nossa bateria.

E, na passarela do samba, vem a fênix que é o nosso amor.


                          — Bom sujeito não é...
                                       é ruim













                                       ou do pé.

## Fontana di Trevi

Era tarde o bastante para a lua estar no céu, mas cedo o suficiente para o sol ameaçar nascer, enquanto ele me guiava pelas ruas vazias e tortuosas, me fazendo tropeçar nos paralelepípedos.
Dizia que não podíamos perder tempo.
— Onde estamos indo? — perguntei.
Ele se virou para trás, encontrando meus olhos.
— Para um dos caminhos que levam a Roma.
— Mas não são todos que levam a Roma?
— Não. — sorriu. — Esse aqui é diferente.
Ele virou à direita, em uma rua estreita.
Comecei a ouvir o barulho de água, que foi aumentando mais e mais, quando de repente ele parou no meio da rua e, me fitando, disse:
— *Solo la tua.*
Sorriu e me puxou até o final da rua, parando com os braços abertos.
— *La Fontana di Trevi.*
E se virou para a direita, mostrando a grandiosa Fontana di Trevi, que jorrava água apenas para nós dois.
— *Benvenuti a Roma.*
Fui me aproximando da fonte lentamente.
Tentava apreciar cada detalhe da escultura grandiosa quando o vi tirando os sapatos e o encarei.
— O quê? São de couro florentino — disse, dando de ombros.
Balancei a cabeça sem tentar entender o italiano.

A fonte era toda nossa.
Não tinha absolutamente ninguém ali.
*Splash.*
Quando vi, ele estava dentro da fonte.
Observei o italiano levantar a cabeça da água com o terno ensopado e o cabelo pingando.
Ele me deu um sorriso e foi para perto da pedra central, observando a enorme escultura de Oceano.
Então se virou para mim e disse:
— *Vieni qui.*
Dei uma risada.
— Não mesmo.
— *Vieni qui, bella.*
Fez um gesto me chamando e abriu um largo sorriso.
Não sei se foi a fonte, a noite escura ou o belíssimo italiano dentro da Fontana, mas, quando percebi, já tinha tirado os sapatos e entrado na água.
Ele se aproximou de mim e disse baixinho:
— Dizem que quando se joga uma moeda nessa fonte, você volta para Roma. Mas, *bella*, está encharcada, Roma nunca vai sair de você.
E com essas palavras começou a jogar água em mim enquanto gargalhava. Ouvimos um apito de longe.
Paralisados, olhamos para o homem com farda azul e quepe na cabeça que vinha em nossa direção.
— *Polizia. Vieni veloce, bella* — disse ao pegar minha mão.
Saímos da fonte e corremos o mais rápido que podíamos.
Nossos pés descalços deslizavam nas pedras, enquanto o sapato do policial ecoava atrás de nós.
Segurei meu vestido de gala o mais alto que conseguia, enquanto ele tirava a gravata, jogando-a no meio da rua.

Tínhamos as águas da fonte em nossas roupas e a Itália como aliada.

Sob vigilância das estrelas, sabíamos que estávamos protegidos.

Ele gargalhava, olhando de vez em quando para trás.

E no meio da fuga me peguei pensando se havia me apaixonado por um italiano ou pela própria Itália.

Na Fontana havia apenas dois pares de sapatos deixados como prova do nosso crime.

Semanas mais tarde, a lei que impedia que se nadasse na fonte foi posta em vigor.

— A você,
que queria ser a Anita Ekberg,
e entrar na Fontana di Trevi
com o Marcello Mastroianni.

**do ouro à prata**

Você me prometeu que ficaria comigo até que meus cachos dourados se tornassem prata.

Na mesma noite, eu, secretamente, prometi a mim mesma que,
os pintaria de prata
na manhã seguinte.

— Às morenas.

# extraordinário

Certa tarde nublada, sentei em um banco de praça, ao lado de um velhinho que lia o jornal. Era um senhorzinho de aparência acanhada, nada fora do comum. Em poucos minutos de conversa, percebi que sua mente era ordinária também, recheada de pensamentos conformistas e ideias típicas do senso comum. Nada muito intrigante.

Após segundos de análise da vida desse senhor, logo percebi que algo o tornava extraordinário. Uma característica tão única, jamais encontrada antes em toda minha vida.

— Tudo começou na minha juventude — ele me disse —, queria seguir carreira de designer. Mas, na época, era algo tão distante, tão diferente, que meus pais não me autorizaram. Disseram que eu deveria fazer algo mais de homem mesmo, algo mais exato, mais próximo de um homem de respeito.

Não tive como negar.

Fiz o que eles me pediram.

Pouco tempo mais tarde encontrei uma menina, um brotinho, de tão linda que era, mas não tive coragem de dar um beijo nela. Ela que deu em mim.

Ficamos juntos por muito tempo.

Acredite ou não, ela que me pediu em casamento.

O problema é que, depois de um tempo, eu não gostava mais dela.

É normal, às vezes simplesmente não dá mais certo.

Mas não conseguia ficar sozinho.

Até o dia em que cheguei em casa e encontrei na mesa de jantar um bilhete de adeus e papéis de divórcio.

Nem uma semana se passou quando recebi uma ligação.

Minha família iria crescer.

Mas eu não queria.

Não estava pronto.

Assumi a criança mesmo assim.

Virei pai de papel. Nunca fiz muita questão de estar mesmo na vida do Samuel.

Fui vivendo.

Fui levando.

Quando fui demitido, meu pai me chamou para trabalhar com ele em sua fábrica.

Detestava cada segundo que passava lá.

Não gostava do cheiro de borracha nem do de cola. Não gostava das formas, das cores que preenchiam, de testar solados.

Não gostava de nada.

Mas não conseguia procurar outro emprego.

Não conseguia, mesmo depois de adulto, dizer não aos meus pais.

Não conseguia dizer sim para o que eu realmente queria.

O tempo passou e nunca mais saí da fábrica.

Tinha um pensamento constante de que, se eu a deixasse, em pouco tempo meus pés estariam usando um daqueles chinelos.

Só depois de muitos anos, percebi que havia me anulado.

Inclusive no amor.

Foi assim que me vi sem capacidade de buscar mais nada,

de ir atrás de nada,

de agarrar mais nada.

Nem mesmo tinha a bravura de oferecer meu coração.

Sempre fui assim, nunca dei meu coração a absolutamente ninguém. Nunca me doei para mim, quem dirá me doar a outro alguém. Tem muita gente por aí que não se doa por medo de demonstrar fraqueza. Que bobagem. Eu não. Nunca me doei por medo do que vinha depois. Por puro pavor do que se seguia, sabe? Eu entendo que, se você faz o bem, você recebe o bem e vice-versa, mas não tinha a menor audácia de ver o que o meu próprio carma me devolveria.

Então, não saí muito dos padrões.

Permaneci, a vida toda, neutro.

Bem, a maior parte das vezes pelo menos. Quanto mais o relógio corria, mais eu me encontrava com a pior companhia. Quando eu percebi já não ria, sorria, lia, via, sentia, viajava, era.

Depois de muitos anos, percebi que tinha de deixar aquele meu cúmplice de amargor.

Já não me encontrava mais.

E em uma manhã de domingo disse tudo que acontecia. Tudo que eu vivia. Mas ele não ia embora, por nada. Foi quando eu vi que não tinha como expulsar a própria imagem do espelho.

Assim que o velhinho me disse essas palavras, eu percebi que uma lágrima escorria pelo seu rosto, até cair no seu jornal dobrado. Abaixei os olhos e vi a pequena gota d'água borrar a tinta. Foi então que percebi.

— Senhor, esse jornal foi publicado cinco anos atrás.

— Meu filho, nunca tive coragem de ler as notícias do dia.

E assim aprendi a ordinária lição do velhinho extraordinariamente covarde.

— Esse é segredo *mesmo*.

Wuhan, China
2020

**sabe, Coronavírus,**

 Eu abria o livro de história e via que o mundo já havia passado por dezenas de guerras, ameaças nucleares, crises, revoluções, chacinas, destruições em massa e bombas atômicas. Mas nunca pensei que viveria em uma ficção científica produzida por Hollywood.
 Até você chegar.
 Eu nem sabia da existência de Wuhan até ver nas notícias a destruição que começou em um mercado e chegou na porta de casa, levando o caos por onde passava, buscando gente da gente para te acompanhar nessa jornada do terror. Conforme você cruza oceanos, o mundo para aos poucos de girar.
 A busca por respostas e significados já foi debatida, seja na Grécia antiga ou por fanáticos em mesas de bar. Mas, no seu caso, Coronavírus, sua orelha deve estar queimando; afinal, sete bilhões de pessoas já se perguntaram o porquê da sua existência.
 Alguns dizem que você não passa de um infortúnio, só mais uma tragédia. Mas, de verdade, Coronavírus, enquanto observo de camarote a humanidade se reinventar, me recuso a acreditar

que você seja apenas mais um "acaso" sem qualquer significado complexo.

O mundo que você criou tem cara nova, sente mais o coração, sente a dor do outro latejar no peito. Busca o amor nos cantos de casa, arrastando móveis e sentando no sofá, percebe que dentro do nosso lar há de sobra aquele amor que procurava tanto na rua, dentro de tanta gente vazia.

O mundo que você criou procura por uma cura e sente uma pontada quanto mais a distância cresce, deixando que a saudade ganhe espaço.

O mundo que você criou sabe que você é passageiro, mas deixou cicatrizes eternas e sentimentos que não serão esquecidos tão cedo.

O mundo que você criou faz revolução da janela e, pegando na mão e olhando nos olhos, profere uma promessa silenciosa: juntos retiraremos os escombros, varreremos a sujeira, sacudiremos a poeira para que, quando o mundo voltar a girar, gire com mais leveza.

No mundo que você criou, é conformista demais pensar que você não passa de uma gripezinha.


Com carinho,
o cara que comeu morcego

## meu primeiro amor

Queria me despedir de você mais uma vez.
Mas dessa vez eu falo.
E você escuta.
Você foi o meu primeiro amor. Meu primeiro alguém só meu. Meu primeiro nós.
Você me mostrou como é gostar de alguém pelo jeito que me olhava, mas nunca pelo jeito que me tratava. Um dia eu vou descobrir se o que tivemos foi um amor infantil, ou só mais um delírio romântico do meu coração *vintage*.
Apesar do seu jeito de ser não combinar nada com o meu, apesar de sermos completos opostos, de lutarmos por causas diferentes, de nossos valores serem completamente distintos, a gente tentou se encaixar. Tentamos colar. Tentamos funcionar. Mas a química já anunciava que nós dois nos machucaríamos. Me perguntei durante muitas noites se deveríamos aprender pelos livros as cadeias de carbono ou deixar que as dores de um coração partido nos ensinasse.
Queria ser gentil e colocar a culpa de tudo que deu errado no tempo, no *timing* e na falta de controle de tudo que nos cercava. O mundo entrava em colapso e você segurava sua guitarra com força, como se o dedilhar fosse te salvar, enquanto falava por cima dos acordes sobre como um passo errado me faria cair, ou me faria voar.
Foi triste dizer adeus para você naquela noite. Foi triste pensar que fomos mais uma história de amor que não teve um final feliz. Triste pensar que o "eu" que serei quando te

ver novamente não será o mesmo por quem você se apaixonou. Mas é reconfortante pensar que a dor que eu sentia durante todo o nosso "nós" finalmente acabou.

Você me faz pensar se algum dia duas pessoas que não se encaixam podem ter uma segunda chance.
Ou até mesmo uma terceira.
Quem sabe uma quarta.
Possivelmente uma quinta.
Afinal, foi você que me ensinou a insistir no erro.

```
— Ao meu primeiro amor,
que me ensinou o valor da química escolar
e me deu alguns chifres de brinde.
```

## visita da madrugada

Não sei exatamente a que horas aconteceu. Só sei que já era tarde o suficiente para a cidade inteira estar dormindo.
Menos eu.
Como sempre.
Não foi por falta de tentativa ou sono. Estava cansado. Exausto. Deitei e tentei dormir. Mas claramente não consegui. Comecei me mexendo na cama, sentindo o coração ir se acelerando, tremores subindo pelo meu corpo, a boca seca.
Já sabia o que estava acontecendo. Sentei na cama e, esfregando os olhos, senti uma leve pontada na cabeça.
*Ela.*
Abri os olhos e a vi sentada na beirada da cama, me olhando.
Como sempre fazia.
— Você veio mais cedo hoje — disse com a voz rouca.
— Ah, sim — ela disse sorrindo. — Sabe como é, domingo à noite sempre é um dia mais movimentado.
— É. Eu sei — disse balançando a cabeça.
Parecia que, quanto mais ela me olhava, mais meu coração se acelerava e minha cabeça girava.
— Interessante... — ela ponderou ao olhar em volta.
— O quê? — perguntei.
— Não sei...
— Fala — insisti, ansioso.
— Parece que...
— Quê?
— Que tem algo estranho — ela disse, por fim.

— Como assim?

— Não sei... — ela coçou o queixo. — Parece que tem algo errado, sabe?

Balancei a cabeça.

Ela continuou:

— Você não acha?

Após essas três palavras, comecei a sentir. Algo de fato estava errado. Fora do lugar. Mas foi no mesmo segundo em que olhei nos seus olhos que eu soube o que era.

— Eu sei o que é — encarei.

— Eu também — ela disse, dando de ombros.

— É você! — dissemos em uníssono.

Balancei a cabeça, enquanto ela colocava a mão no peito, parecendo ofendida.

Acho que poucas pessoas devem ter-lhe dito isso.

— O problema é você! — ela repetiu, apontando o dedo para mim. — Você que não é bom o suficiente, que não tem potencial...

— Para — falei calmamente.

— Para?

— É. Chega. Não aguento as suas visitas. Não aguento mais vê-la. Não consigo mais manter tudo o que você coloca na minha cabeça. Sabe que horas são? Hora de dormir! Então... Só vai embora.

Levantei da cama e abri a janela.

Ela se levantou e, me olhando sério, andou em direção à janela. Deu um beijo em minha bochecha e sussurrou em meu ouvido:

— Eu ainda vou voltar.

— Acho que não.

Em um pulo gracioso sumiu de vista. Deixou que o vento a levasse, carregando seu vestido branco esvoaçante para longe de mim.

Rapidamente fechei a janela e a tranquei para não correr o risco de tê-la de volta.

Voltei a me deitar, mas não consegui dormir.

Tinha algo estranho.

Algo errado.

Parecia que algo estava fora do lugar.

Nunca foi assim tão fácil expulsar a Ansiedade.

Percebi que, mesmo longe de mim, ela ainda estava presente.

"Bom...", pensei. "Já expulsei a Ansiedade do meu quarto. Agora só falta expulsá-la daqui de dentro."

```
                        — A você,
que pensou que fosse um espírito no começo.
```

## cupom

Já fazia meia hora que ela aguardava na frente do restaurante lotado.
Olhou para o relógio em seu pulso.
É.
Tinha levado um "bolo".
Passou a mão no vestido em uma tentativa inútil de alisá-lo.
Olhou para o salto que usava.
Com certeza não tinha dinheiro para o táxi.
Estava na cara que seria uma longa caminhada.
Ao se virar para voltar para casa, um jovem rapaz a chamou. Vestia um terno claro e usava gel no cabelo.
"Negócios", ela deve ter pensado.
— Estou te observando há uma hora e, de verdade, não consigo imaginar quem seria o maluco de furar com você.
Ela deu uma leve risada e olhou para baixo. Não estava muito a fim de conversar.
— Sabe, eu também levei um fora — ele continuou. — Mas meu jantar já está pago, sabe como são esses cupons, né? Enfim, não tenho ninguém e é para dois, será que você não gostaria de dividir um jantar pré-pago comigo?
Ela o analisou.
Cabelos escuros, sobrancelhas grossas e olhos profundos.
— Por que não?
"Já está pago mesmo. Além disso, quem sabe descolo uma carona de volta para casa."
Ele sorriu e apagou o cigarro na hora.

Sentaram em uma mesa de canto, iluminada à luz de velas. Riam tanto que nem parecia que haviam acabado de se conhecer. Passaram a noite inteira jogando palavras fora e olhares longos debaixo do luar.

Três anos se passaram quando os vi entrando novamente no restaurante.

Fiz questão de sentá-los na mesma mesa.

Observei, assim como da primeira vez, cada movimento.

Era como assistir à cena de um filme com James Dean e Audrey Hepburn.

Quando o brilho do anel na mão esquerda dela atingiu meus olhos, eu entendi.

Às vezes o amor acontece quando você menos espera, sendo tão forte e duradouro que não tem explicação, não tem razões aparentes, não deixa sobreviventes. Quando ele decide acontecer, não tem quem o pare. Muito menos quem o explique.

Assim, eu, um mero garçom de um restaurante badalado, percebi que o amor e a mágica andam de mãos dadas, e são tão malucos que os encontramos da forma mais singela, ao som de pagode na Vila Madalena.

Meu único arrependimento daquela noite foi não ter olhado mais, talvez eu tivesse visto o momento exato em que o cupido os flechou.

```
            — Ao Peixe Urbano.
                    Quem sabe,
              no próximo cupom
         você me dê de brinde
         um cupido que funcione.
```

## manifesto da geração

Geração que questiona,
que fala o que pensa para quem quiser (ou não) ouvir.
Que joga na cara o que tem de errado e busca uma solução.
A geração que, apesar de ter sido criada com pera e leite em apartamentos,
sabe questionar uma sociedade corroída.
Sabe que o mundo está doente, e tenta salvá-lo como pode, seja diminuindo o plástico e banindo os canudos.
Uma geração que vive de aparências, que se divide entre o mundo real e o mundo virtual.
Em que ter um *feed* bonitinho é mais importante do que ter um bom caráter.
Formada por competições de ego para ver quem é o melhor narciso.
Uma geração que não busca amores, e, sim, alguém para ter para si.
Que julga o romântico como clichê.
Uma geração que questiona o mundo, a existência do universo e o brilho das estrelas,
mas nunca se questiona.
Uma geração marcada por problemas profundos, boiando na superfície de mentes rasas.
Uma geração que não aceita o não.
Não aceita mentiras ou verdades mal contadas, nem mesmo histórias para boi dormir.
Que não conhece nada sobre nenhuma pessoa.

Que tem uma vida composta por fotos bonitas de sorrisos falsos.

Uma geração que não confia em ninguém, nem mesmo no próprio futuro.

Uma geração carente do toque, do amor.

Que tenta sobreviver em um mundo domado por máquinas.

Uma geração livre, que aceita o colorido do mundo, fazendo dele bandeira.

Tão livre que tamanha liberdade espanta quem dela não faz parte.

Uma geração que liberta quem está sentindo dor.

Que mostra compaixão ao tomar o problema do outro para si, em uma tentativa de resgatá-lo da angústia.

Uma geração que não aceita a desigualdade, mascarada da forma que for.

Que não tem tempo para nada, vive de comidas prontas, filmes rápidos e textos diluídos.

Que só vai dormir com doses de antidepressivos e pílulas para ansiedade.

Que tenta consertar um planeta fragmentado, mesmo que acabe partindo ao meio.

Uma geração de humanos que ainda buscam por humanidade.

Uma geração não se preocupa em agradar a mentalidade passada, mas em criar um novo futuro.

Essa geração não é perfeita, mas faz seu melhor para colar os cacos do coração quebrado do mundo.

```
            — A todos os meus seguidores;
    meu Instagram não seria o mesmo sem vocês.
```

## traição

Me preocupei mais em como resolver a minha vida e acabei te deixando de lado. Vejo todos os dias seu coração pulsar para fora do peito, mãos atadas nas costas e um meio sorriso se pendurando na esperança de um final feliz. Encho sua mente de palavras bonitas sobre o amor, te dizendo como eu vou conseguir controlar tudo e nada vai nos abalar. Sopro os ventos de falsas esperanças, de que eu nunca vou embora, quando, na verdade, planejo minha fuga.

A verdade é que eu me vejo em um impasse, entre meu futuro e você. Entre meus sonhos e você. Entre minha vida e você. E se eu escolhesse você, estaria sendo infiel a mim.

E isso é traição.

A verdade é que eu não te amo. Acho que nunca te amei. Não de verdade. Não como você queria. Não do que você chama de amor. Me traí todos os dias ao dizer que te amava. Que passaria a eternidade ao seu lado. Quando isso não é verdade. Te colocando em um amor a dois, que só é amado por um.

De coração, o que eu sinto por você é carinho. Carinho por alguém que faz parte da minha vida, mas sei que não é uma constante. Como se, caso essa estrela se apagasse, talvez as outras brilhassem mais.

Eu já esperei por tanto tempo que o amor viesse, que eu me apaixonasse perdidamente por você, mas, infelizmente, eu não tenho o poder de controlar isso. Não tenho o poder de dizer ao meu coração o que sentir, como sentir. Por mais que eu tente, só não nasci para estar com você. Mesmo que você ache que nasceu para mim. É triste, mas, às vezes, o amor que a gente acha que é da nossa vida não é o amor da vida da gente.

E quando eu te disse essas mesmas palavras, no fim da noite de ontem, você me olhou com seus olhos marejados, me deu mil motivos para ficar. Eu percebi como o verdadeiro amor deve ser; que a dor da perda é maior do que a dor de não ser correspondido.

Então eu decidi ficar. Não por paixão, mas por compaixão. Porque eu sabia que te deixar assim seria pior. Então eu vou te deixando aos poucos, na esperança de que um dia, quando eu for, você não sinta tanto a minha falta. E eu possa finalmente te libertar. De algo ao qual você nem sabe que está preso.

    — Eu tenho sentimentos, ok?
   O que eu não tenho é paciência.

## quando um escritor se apaixona

Sabe,
dizem que quando um escritor se apaixona por você, você vive para sempre. Sua essência fica impressa no papel; e, quando as folhas são comidas pelo tempo, parte de você estará sempre presente na mente de quem um dia as leu. Eu não sou nenhum escritor, nem nada. Mas, se depender de mim, só pelo que eu digo às páginas em branco sobre você, só pelo meu coração que transborda em forma de palavras enchendo a folha A4, saiba que não há o que temer ao morrer, você viverá para sempre.

```
        — A todo mundo que me inspirou.
    Parabéns, vocês obtiveram a vida eterna.
```

## cigarro clandestino

Noite fria de inverno repleta de estrelas. Estávamos olhando para o céu havia algum tempo. Eu tentava achar algum desenho, quando um brilho intenso cruzou o céu de ponta a ponta.
— Olha! Uma estrela cadente! — exclamei.
Ele olhou para mim sorrindo.
— Não... — disse lentamente.
— Como não? Você não viu que acabou de passar? — perguntei, encarando-o nos olhos.
Com uma leve risada, ele respondeu:
— Eu vi. Mas não era uma estrela cadente.
— Não?
— Não.
— O que era? — perguntei, confusa.
— Vou te contar uma história: quando os anjos vieram para a terra, se apaixonaram perdidamente, deixando seu toque angelical em tudo o que mais amavam. Alguns em mortais, outros nos prazeres da vida mundana.
— Prazeres da vida mundana? — repeti.
— Sim. Sabe como é: sexo, drogas e *rock 'n' roll*. Tudo que era ruim ficou celestialmente delicioso.
— Hum...?
— Mas os anjos mais rebeldes mesmo se apaixonaram loucamente por algo que nunca tinham visto antes: o cigarro. E ah... Com o toque de anjos, o cigarro não poderia ficar mais divino. Deus ficou enfurecido com esses anjos, mandou-os voltar imediatamente para o céu. Mas o que

pouca gente sabe é que os anjos rebeldes levaram no bolso alguns maços lá para cima. E quando sentem saudades, vão para debaixo das estrelas e dão uma tragada ou outra.

Virei de lado para olhá-lo melhor.

Ele continuou:

— O que você viu foi uma cena extremamente rara de uma bituca de cigarro angelical clandestina cruzando o céu.

Ele continuou ante meu olhar confuso:

— Claramente, havia um anjo rebelde fumando. Quando percebeu alguém se aproximando, tacou o cigarro fora.

— Ah, é? — perguntei em um tom sarcástico.

— É.

— E como você tem tanta certeza?

— Bom — ele abriu um largo sorriso —, também já fui um anjo rebelde um dia.

— Ao celestial Marlboro,
que entrega com qualidade no céu.

## Mona Brisa

Entramos na sala lotada. Pessoas se aglomeravam, empurrando umas às outras, segurando seus celulares e câmeras para tirar foto. Um tumulto enorme em volta de um quadro pequeno. Demos uma olhada rápida, pois pessoas nos espremiam de todos os lados.

Ele me puxou para um canto, no fundo da sala, onde não podíamos ver muito bem o quadro, mas podíamos observar a muvuca à distância.

— Que loucura... — dizia enquanto olhava para a multidão.

— Não — ele disse secamente.

— Como não? — Apontei para a frente. — É só um quadro...

— Só um quadro? Só um quadro!

Ele balançava a cabeça, incrédulo.

— O que você vê de tão demais? — perguntei, olhando em seus olhos.

— Não é o que se *vê*. É o que *é*.

Olhei para ele e depois olhei para a multidão.

— De verdade...

Ele me cortou:

— Há mais ou menos quinhentos anos, existia uma sociedade secreta. — Abaixou a voz. — Um grupo de vinte jovens, espalhados pelo mundo, na época principalmente pela Europa. Jovens prisioneiros, ilegais, foras da lei, rebeldes. Eles não tinham onde cair mortos e absolutamente nada de valor, a não ser as mãos...

— Tipo, as mãos? — perguntei, mostrando minhas duas mãos abertas e mexendo os dedos.
— É. Tipo as mãos — ele respondeu, mexendo seus dedos em resposta.
— Mas todo mundo...
— Dá para prestar atenção?
— Certo... Desculpa.

Ele passou a mão no cabelo e, se voltando para a multidão, continuou:
— Eram muito ágeis, viviam de roubos sorrateiros. Esse grupo era tão feroz que eram chamados de "Os Vinte Leões". Mas o que poucos sabiam, é que as mãos sorrateiras não apenas roubavam, mas pintavam.

Colocando as mãos no bolso de seu casaco preto, ele falou:
— Suas habilidades com o óleo sobre tela eram inúmeras, mas como não tinham nem onde dormir, nunca conseguiriam pagar um cavalete e tintas. Os grandes artistas sabiam disso, portanto, quando havia uma obra medíocre, Os Vinte Leões eram contratados para retocá-la e aperfeiçoá-la, até torná-la uma obra-prima. Parte do dinheiro que recebiam ia para uma vaquinha coletiva. Quando chegavam a uma quantia boa, Os Vinte Leões se reuniam na casa da mãe de um deles, que...
— Fofos — disse em meio a um riso.

Ele apenas me fuzilou com o olhar antes de continuar:
— Bom, aqui está a parte interessante. Essa senhora era completamente pirada. Além de ter uns costumes estranhos, falava frases sem nexo, usava apenas roupas pretas, era muito mal-humorada, mal-encarada *et cetera* e tal. Mas o mais intrigante nela eram seus olhos. Diziam que no momento em que olhava para eles, eles nunca deixavam

de olhar para você. Como se te seguissem para onde você fosse, sabe? Diziam que ela via tudo, mesmo quando estava distante. Além disso, em seu rosto havia sempre um sorriso enigmático, como se ela desprezasse a vida. Enfim, ela era tão estranha que vivia em um chalé ao pé da montanha, completamente isolada de qualquer civilização...

— Parece alguém que eu conheço.

Ele apenas me encarou. Inspirou forte e, coçando o queixo, continuou:

— Enfim, ela era tão excêntrica que Os Leões a chamavam de Mona Brisa...

— Mona Brisa? — disse em meio de uma gargalhada.

— É. Assim, a casa de dona Brisa era o local perfeito para encontros de uma sociedade secreta. E quando estavam lá, faziam de tudo: pintavam, construíam engenhocas, faziam esculturas, estudavam anatomia, matemática, botânica, arquitetura. Faziam de *tudo* mesmo. Mas em um ano a vaquinha não foi gorda o suficiente, não tinham como pagar dona Gioconda por sua estadia. Ela, por sua vez, disse que os jovens poderiam ficar em sua casa, a única condição era que ela fosse eternizada na forma de uma pintura.

Ele pigarreou e continuou:

— Apesar de tudo, seu pedido não foi de espantar ninguém, já que a velha era meio biruta. Aceitando a proposta, Os Vinte Leões foram para a casa dela produzir e blá-blá-blá. Mas não sabiam como retratá-la. Demorou um tempão para pintar. Um tempão mesmo, pintaram retrato em cima de retrato para captar a essência dela, mas nada ficava bom o suficiente. Quando o quadro estava finalizado, faltava algo. Eles passaram dias tentando deixar aquele quadrinho uma obra-prima, o que era uma ironia, já que esse era o trabalho deles, né? — Ele deu uma leve risada. —

Descobriram o que faltava: a essência de dona Gioconda. Seus olhos que tudo viam e seu sorriso enigmático. Então, pintaram logo um sorriso, como se estivesse zombando de quem visse a pintura. E como você pode imaginar, o resultado não poderia ficar mais peculiar. Uma obra-prima, mas curiosa.

Ficamos em silêncio por alguns breves segundos, observando o quadro distante, até que ele voltou a falar, me dando uma leve cutucada no ombro.

— Pois bem. No mesmo dia em que entregaram o quadrinho minúsculo, partiram da casa da dona Gioconda. Ninguém sabe muito bem o que aconteceu, só se sabe que ela nunca mais foi vista. Quando foram procurar em sua casa, estava vazia, sem mobília, sem nada; o único objeto que havia, na parede de entrada era... Adivinha?

Permaneci calada, aguardando.

— Adivinha — disse outra vez.

— Ah, é para eu falar?

— É.

— Ah, sei lá... — inclinei a cabeça para o lado. — O quadro?

— O quadro, é claro!

— Mas o que aconteceu?

— Bom — ele prosseguiu —, ninguém podia acreditar naquilo. Virou uma lenda local. Um tempo depois, a casinha foi descoberta pelas tropas de Napoleão, que acharam aquele quadrinho tão bizarro que penduraram no banheiro, acredite se quiser. Enfim, roubo daqui e roubo de lá, o quadro foi ganhando fama.

— Certo. Mas e o grupo?

— Não se sabe muito bem o que aconteceu. Mas quando descobriram tudo que haviam produzido, tudo, ab-

solutamente tudo, estava assinado como "Leo da Vinte".
Acho que já deu para entender daqui, né?

Olhei para ele com olhos curiosos.

— Mas ainda existe?

— Ué, olha o quadro — ele disse, apontando para a frente.

— Não — retruquei. — O grupo.

— Ah... — dando um leve sorriso, ele respondeu. — Quem você acha que me contou essa história?

— Às Tartarugas Ninjas.

## onde o céu beija o mar

Estávamos sentados embaixo do guarda-sol branco, com os pés na areia. Eu observava as ondas do mar se quebrarem continuamente.

— Ei — olhei para ele, do meu lado. — Sabe por que tem tantas ondas no mar?

Ele me olhou e disse:

— Tem alguma coisa a ver com a lua, né?

— É o que todo mundo diz...

Ele sorriu, satisfeito.

— Mas não é a verdade — completei, olhando novamente para o mar à minha frente.

— Certo, cientista, conta aí o porquê então.

Dei uma risada e continuei:

— A verdade não tem nada de ciência.

— Tudo bem, só conta o porquê.

Me endireitando na espreguiçadeira, falei:

— Tudo começou muitos anos atrás, em um tempo em que a imensidão azul estava no auge de sua exploração. Um trabalhador do cais sonhava em um dia ser marinheiro. Ver o mundo, explorar, saber o que tem do outro lado. Queria tanto sair da terra e ir para o mar que todos os dias, no fim de seu expediente, ia até a praia pedir para Poseidon o ajudar. Um dia, o Rei dos Mares enviou uma de suas filhas para ajudar o rapaz a conquistar seu objetivo. O que ele não imaginava é que os dois se apaixonariam perdidamente.

Ele se virou na espreguiçadeira para me ver melhor.

— Mas é claro que, quando soube, Poseidon ficou furioso.
— Óbvio — ele concordou.
— Poseidon os amaldiçoou. Prometeu que os dois viveriam para sempre sem nunca encontrar um ao outro. Sua filha seria uma sereia, destinada a passar toda a eternidade debaixo d'água. E o garoto, um humano destinado a ficar na terra.
— Ué, ele não foi transformado em nada?
— Não — balancei a cabeça. — Poseidon disse que ser humano já era castigo suficiente.
Ele deu uma risada e eu continuei:
— A maldição só se quebraria quando um dos dois encontrasse o lugar onde o céu beija o mar. O que é...
— Impossível — ele completou.
Olhei para a praia e disse:
— *Quase*. O garoto deu seu jeito. Tirando vantagem de seu conhecimento sobre o porto, roubou um navio, tornando-se o capitão de um navio pirata. Estendia a bandeira preta na haste maior, mandava traidores andarem na prancha, saqueava outros navios e deixava que o vento o guiasse. Ele se autonomeava o Capitão das Águas. Diz a lenda que, desde o dia em que deixou o cais, nunca mais pisou em terra firme. Seus marujos acreditavam que o grande Capitão navegava em busca de moedas de ouro, como tantos outros piratas faziam. Mas o que ninguém sabia é que o pirata buscava pelos sete mares o lugar onde poderia finalmente ficar com seu amor.
— Mas e ela? — ele perguntou de repente.
— O que tem?
— O que aconteceu com ela?
— Bom, embaixo da água, a sereia nadava com sua cauda em busca do navio em que estava o Capitão de seu coração. E é daí que as ondas surgem: o grande navio pirata e a cauda

longa da sereia rasgam os oceanos, um em busca do outro, remexendo a água incansavelmente, sem nunca se encontrarem. Dizem que as ondas ficam mais revoltas quando a saudade bate mais forte, e a calmaria vem quando eles estão quase se cruzando.

Ele ficou em silêncio durante um tempo, observando o mar.

— Posso te contar um segredo? — perguntei, olhando em seus olhos.

— Claro — ele respondeu.

— É que essa história é real.

Ele deu uma gargalhada.

— Sei...

— É verdade, sim — afirmei. — O pirata não deixa que homens descubram o lugar secreto antes dele. Por que você acha que 95% do mar é inexplorado?

Ele ficou pensativo e depois perguntou:

— Quem te contou isso?

— Por quê? — dei um sorriso. — Acha que só você sabe o segredo dos cigarros clandestinos e da Mona Brisa?

```
            — O que será que significa o tsunami?
```

> Nos limites de seu reino
> Este é o meu ponto

## caro senhor tempo,

    Vossa majestade é o rei do universo. Manda em tudo e em todos. Todos os seres humanos estão aos seus pés, à mercê dos seus calendários e relógios.
    Mas vim aqui te pedir um pequeno favor.
    Será que o senhor poderia ir um pouquinho mais devagar?
    Estou pedindo muito, eu sei, mas então, poderia dar um pouquinho mais de tempo ao tempo da gente?
    Vou te explicar: passei minha vida inteira ouvindo que o tempo voa. Mas nunca tinha sentido o valor do tempo na minha pele. Nunca tinha percebido como o mundo nunca para de girar, e, muitas vezes, estou tão atrelada a datas e horários que esqueço de tirar um tempo para o que faz com que eu pare de sentir tanto o tempo.
    Sou humano.
    Tenho tarefas para fazer, pessoas a quem impressionar, metas a cumprir, expectativas para atingir, uma vida para cuidar e, ainda assim, conseguir ter dez minutos de ioga ao dia, ler um livro, ouvir uma boa música, comer saudável, conversar com amigos, sair para algum lugar,

conhecer pessoas novas, tomar banho, cuidar da pele, abraçar meus pais, ajudar o próximo, ligar para quem está distante, dizer "eu te amo", me exercitar, colocar em dia minha série da Netflix. E... ter boas oito horas de sono.

Deu para entender?

Eu não tenho tempo para isso. É humanamente impossível fazer tudo isso segundo os padrões de tempo atuais. Não tem como. Preciso que o tempo passe um pouquinho mais devagar. Ou que o dia tenha mais horas. Quem sabe mais umas oito? Será que funciona?

Olha, eu sei que soa um pouco ridículo vir aqui e apelar desse jeito, mas eu preciso viver meu *carpe diem*, entende? Estou nos "melhores anos da minha vida", mas não estou vivendo. Não estou aproveitando minha vida como eu queria. Acredite em mim, Senhor Tempo, se dependesse de mim, estaria vivendo as maiores loucuras da história da humanidade. Mas o tempo não depende de mim. Se o relógio seguisse os meus comandos, eu viajaria o mundo em busca de uma razão para existir.

Para o Senhor ver o meu desespero, até as pilhas do relógio lá de casa eu tirei. Não vou mentir, parar de ouvir o *tic-tac* ajudou, mas não fez com que o tempo parasse. Tomo doses de Xanax olhando para a tela de um computador, vendo tudo passar mais e mais rápido, e enquanto giro conforme o mundo, imagino como o mundo seria se você, caro Senhor Tempo, não existisse.

Portanto, te peço encarecidamente, Senhor Tempo, quebra essa para mim. Me ajuda, vai.

Estou indo cada vez mais rápido e não paro nunca para aproveitar o topo da montanha a que cheguei. Não quero que meu tempo acabe sem que eu tenha aproveitado cada segundo em suas cores mais brilhantes.

Talvez um dia o senhor vire mais um refém de si mesmo.

E, se isso acontecer, o senhor vai ver que nada é pior do que estar nos quarenta e cinco do segundo tempo sem ter aproveitado a partida. Muitas vezes, sem nem tocar na bola.


Atenciosamente,
Reféns dos Ponteiros do Relógio

# magia cotidiana

Acredito, sim, que exista magia no mundo em que vivemos. Essa magia se esconde na forma mais cotidiana que, às vezes, você nem percebe.

Simples, sucinta, mas extremamente poderosa.

Vou te provar o que estou falando. Em algum momento, você já se viu numa encruzilhada, em que você não sabia qual caminho seguir? Ou já teve algum problema que tirou seu sono? Quando sua vida está em um buraco cada vez maior e você só tem que continuar vivendo para ver o que acontece?

Em um começo de noite fria, você tira sua roupa, liga a torneira, colocando a mão sob a água que cai para testar a temperatura, entra no chuveiro, e, após alguns minutos, sua visão se clareia.

A solução para seus problemas insolucionáveis aparece bem diante de seus olhos. Você, de repente, sabe para qual caminho seguir na encruzilhada. E o buraco no qual você estava caindo simplesmente se fecha.

Enquanto a água cai, beijando cada milímetro do seu corpo, você inicia um murmúrio que passa para um cantarolado e, quando você menos espera, está fazendo uma performance digna de palco máster do Rock in Rio. A música leva sua cabeça para um estado de espírito elevado e inalcançável de qualquer outra maneira.

Mais alguns minutos, você está ganhando discussões contra seus inimigos, dizendo tudo na cara do seu chefe, fazendo o discurso do Oscar. Até receber o Prêmio Nobel seus sabonetes e xampus já presenciaram.

O mundo, de repente, está em paz debaixo d'água quente que vai deixando sua pele mais e mais vermelha.

Quando você se dá conta, está nu com a cabeça coberta de xampu, percebendo que nunca esteve tão forte, nunca teve tanta confiança, nunca acreditou tanto no próprio potencial.

Pode ser que para alcançar tal estado de espírito algumas lágrimas tenham se misturado com a água do chuveiro, deixando que o ralo levasse toda a dor embora. Mas o importante é que, quando desliga o chuveiro e se enrola na toalha, você tem o mundo em suas mãos. Tem o controle de todas as situações possíveis e imagináveis.

Até agora, não contei nada novo.

Tenho certeza de que isso acontece com você.

O meu ponto é: de onde vem essa auspiciosidade toda? Não é possível que um simples Protex remova todos os seus males junto com as bactérias. Mas, com o poderoso chuveiro, todos as desgraças do mundo vão pelo ralo. Algo extraordinário, que não tem uma explicação científica.

É a prova de que a mágica cotidiana existe, sim, bem debaixo do seu nariz, todos os dias, no seu momento mais vulnerável.

E sabe por que isso acontece?

Porque você está desprotegido, livre, em sua forma mais humana, e deixa que a água limpe, lave e leve.

A mágica acontece, sim, quando você permite que ela aconteça.

> — Ao meu chuveiro.
> Muito obrigada por me proporcionar momentos de epifania.

## segurança

— Você me ama? — ele sussurrou baixinho para mim.
Hesitei.
— Amo.
— Mesmo?
— Mesmo.
— Você não está mentindo para mim?
— Não.
Ele suspirou.
— Você não está mentindo para você?

                                        — À minha desconfiança.
                                             Confio em você.

## burro de carga

Você disse que eu não sou burro de carga.
Disse que eu não podia ficar carregando o universo em minhas costas; que, para chegar aonde eu queria, tinha que pensar em mim; que aquele peso todo só iria me atrapalhar, tinha que deixar para trás algumas malas.
E eu fiz isso.
Mas, infelizmente, como o mala que era, você também foi deixado no acostamento da estrada.

```
               — Para todos aqueles que
    já se ferraram com o próprio conselho.
```

# insônia

Quando as luzes se apagam, depois de um dia de guerra, despenco em minha cama, exausto das batalhas. Deito a cabeça no travesseiro, me aconchego sob o peso dos cobertores em mim. E, ao fechar os olhos, espero somente sonhos bons me abraçando.

Mas, na calada da noite, quando a cidade dorme, todos os fantasmas do passado, presente e futuro vêm me visitar. O sono desaparece e todos os problemas do universo caem em meu colo. Pondero sobre cada um deles, quanto mais o relógio se congela, mais pesada a minha cabeça vai ficando, mais angustiante minha noite vai se tornando.

Me agitando nos lençóis, busco espantar esses demônios que me convidam para dançar com meus pesadelos. Faço tudo o que posso, conto carneirinhos ou imagino um belo conto de fadas.

Quando percebo, já contei mais de um bilhão de carneirinhos, já imaginei mais contos de fadas do que os Irmãos Grimm, e só se passaram doze minutos!

Lembrando de traumas do passado, de problemas atuais, o meu futuro se assemelha mais a uma incógnita que cresce sobre mim. A urgência de resolver todos os problemas do mundo é o melhor despertador. Tento achar todas as soluções possíveis para os mais diversos pesadelos, mas nada parece resolver.

E, em mais uma noite, decido contar meus pensamentos ruins para descobrir com quantas pitadas de problemas, quantas colheradas de ansiedade e quantas xícaras de medo se faz uma noite de insônia. Após tantas noites sem dormir, descobri que a madrugada não foi feita para dormir, mas, sim, para pensar, para sussurrar às estrelas onde mais dói.

Geralmente, lá pelas 3h30 da manhã, o fantasma da saudade vem dar o ar da graça. E é aí que o coração lateja. Ele vai se apertando cada vez mais, até que todos os problemas desapareçam, deixando apenas a saudade para trás. A tão dolorida saudade. Ela, sim, é o mais feroz despertador. O problema é que ela acorda o meu coração. Então me pergunto se agora é só saudade ou é ainda insônia.

Quando a contagem regressiva para o verdadeiro despertador inicia, desisto de todas as conversas com a lua e simplesmente desabo a cabeça pesada no travesseiro. Mas o tempo é curto e o sono é muito. E percebo que, mais uma vez, irei para a luta, que se estenderá ao raiar do sol, cansado da guerra que tive entre os lençóis.

Levanto da cama com o pensamento de que dormir requer paz, e talvez seja por isso que eu não durmo. Ou, como diz a lenda: se você não consegue dormir durante a noite, é porque você está acordado no sonho de alguém.

Eu queria que a gente trocasse, pelo menos só uma vez, para eu finalmente ter o meu tão merecido sono, e ela ficar acordada, contando para a lua toda a saudade que sente de mim.

— À filha da mãe que fica sonhando comigo às 3 da manhã.

## quando o amor bate à porta

Eu sonhei tanto com o "amor" que nem sei o que ele realmente é.

Livros e filmes retratam aquela imagem do amor perfeito. Em que em nenhum momento o protagonista tem dúvida sobre a relação, as brigas entre eles são quase inexistentes e facilmente resolvidas com um belo beijo na chuva. O casal é feito um para o outro, e são completamente infelizes quando estão com qualquer outra pessoa.

Foi esse tipo de amor que eu sempre achei que encontraria. Aquele que amasse do meu cabelo despenteado até a unha encravada do meu pé. Aquele que me fizesse completamente feliz, que me completasse. Sem dúvidas. Sem brigas. Aquele que fosse completamente saudável, que não me fizesse imaginar como seria estar com outra pessoa, que não me fizesse questionar, que não fizesse eu me sentir preso, que não fosse composto por duas pessoas imperfeitas tentando ao máximo serem perfeitas uma para a outra — e se automutilando no processo.

Sonhei tanto com esse amor perfeito, midiático, feito para as telas do cinema, que, quando o amor da vida real bateu à minha porta, meio capenga, com um tapa-olho, tremendo de frio, não sabia dizer se era ou não amor. Não sabia dizer onde eu havia me metido, se eu deveria ir embora, ficar ou ligar para a polícia.

A questão é que estou reaprendendo o que é o amor. Ele não vem com instruções, com termos de uso. Não vem com regras claras do que se pode ou não fazer, do que se deve ou não engolir, do que é ou não amor. Isso vem lá de dentro, quando se está tentando ouvir o que seu coração pede, pelo que sua alma implora.

Algum dia, quando ouvir meu coração, vou encontrar suas malas prontas na porta e sua chave solitária no balcão. Só assim vou descobrir como sua presença preenchia a quitinete.

Mas se o pedido de socorro que ecoa em meu peito cessar antes disso, tenha certeza, foi por amor ou por puro pavor.

— Calma,
amor,
é *claro*
que não é para você.

## papel que grita

— Sinto muito — ela me disse, entregando um papel dobrado. — Mas o que está aí, bom... — ela coçou a cabeça em busca de palavras. — São relatos verdadeiros.
Assenti e abri o papel.
Uma lista contendo relatos de assédio com nomes, locais, data, testemunho, tudo.
Meus olhos correram pela página, tentando acreditar que não encontraria nada ali.
Até que me deparei com o nome dele.
Com um relato.
Com uma história.
Com uma pessoa.
Balancei a cabeça.
Deveria estar errado.
Li o relato várias vezes.
De novo.
De novo.
E de novo.
Olhei para a menina que havia me entregado o papel.
— Isso é...
— Verdade? — ela completou. — Sim. Sinto muito.
Dobrei o papel e coloquei no bolso da minha calça.
Limpei a lágrima com o dedo.
— Licença — pedi, me levantando da mesa e andando bamba em direção à porta do restaurante.
Assim que passei pela porta, senti o ar quente me atingir em cheio.

Não era possível que isso estivesse acontecendo.
Tentei andar um pouco, mas minhas pernas simplesmente não tinham força.
Me apoiei na mesa que havia do lado de fora do restaurante, me forçando a sentar, na esperança de me acalmar.
Minha cabeça rodava.
Além de ter sido traída, ele havia abusado de uma menina.
Estava tão perdida em meus pensamentos que nem o vi chegar.
— Ei! O que você está fazendo aí sozinha? — ele perguntou, se aproximando e me olhando nos olhos. — Tava almoçando com os moleques e acabei passando por aqui... Tá tudo bem?
Não conseguia olhá-lo nos olhos.
Ele se sentou na minha frente.
Eu não disse nada. Apenas entreguei o papel, esperando que ele mesmo me respondesse.
— Isso é verdade? — questionei, enquanto ele encarava o papel em minha mão.
Ele pegou o papel, confuso. Desdobrou com cuidado. Seus olhos correram pelo papel rapidamente, enquanto a expressão em seu rosto mudava.
Seu queixo caiu.
— Vão destruir a minha vida — disse baixinho.
— Isso é verdade? — perguntei outra vez.
— Vão destruir a minha vida... Vão destruir a minha vida! — ele respondeu alto. — O que eu faço? Vão destruir a minha vida!
— Eu preciso que você olhe nos meus olhos...
Ele soltou o papel na mesa de madeira escura.
— Viu como vão destruir a minha vida? Já era! Esse tipo de coisa pega no currículo e já era.

Fiquei em silêncio, apenas o observando. Observei cada movimento que fazia, suas expressões faciais, seu peito subir e descer cada vez mais rápido. Quanto mais tempo o observava, mas eu percebia, já o conhecia de cor, já havia visto aquela reação.
Senti uma bolha crescer dentro do meu coração, um sentimento forte que transbordava.
Não podia apenas assistir.
Levantei da cadeira e tomei o papel.
Ele me olhou.
— O que você vai fazer? — perguntou.
— Vou dar um jeito nisso.
— Tá... Mas não fala com ela. Sabe, essa *vadia* vai...
— Destruir a sua vida. Eu sei.
Ele deu um soco na mesa.
— Não acredito nisso! Por que esse tipo de coisa acontece? Por que coisas ruins acontecem com pessoas boas? Eu não fiz nada. E vão estragar tudo.
Analisei-o.
Momentos como esse, em que você sente algo diferente.
Você sabe que algo está errado.
Seu coração se espreme e a ficha cai em câmera lenta.
Ao olhá-lo nos olhos, eu sabia que acreditava mais em uma folha de papel do que em alguém que eu conhecia bem. Justamente por conhecê-lo.
Dei as costas e comecei a andar pela calçada.
— Ei! — ele correu até mim. — Fica comigo — pediu, tentando pegar minha mão.
— Quê?
— Fica comigo? Só agora. Você pode matar essa aula, preciso de você. Tô com medo que vão...
— Não.

Voltei a andar.
— Fica — ele agarrou meu braço.
— Não! Me solta.
Foi então que consegui ver a cena.
Ele me soltou assim que eu disse o que estava queimando em minha língua.
— Theo, vai ali na esquina procurar um pouco de caráter.
Deixei-o parado na calçada, enquanto sentia o papel queimar em meu bolso.
Era apenas um papel. Uma única folha. Mas quantos haviam morrido na ponta da caneta?
Já longe, me peguei olhando para trás, tentando vê-lo, me perguntando se era a vida dele que seria destruída ou a dela.

> — Cuidado: alguns acontecimentos aqui narrados podem ser confundidos com a realidade.
> *Tudo ficção.*

## indo

A poucos metros de onde estava, havia uma bifurcação.
Prestei atenção no fluxo dos carros, cada um seguia seu trajeto.
Mas e eu?
Liguei o pisca, encostei o carro.
Girei a chave, desligando o motor.
Fiquei alguns segundos em silêncio, repensando.
— Não sei para onde ir — disse baixinho.
Olhei para o volante e me voltei para o semáforo à minha frente.
— *Ninguém* sabe para onde ir — murmurei.
Vermelho.
— Não sei para onde ir — repeti mais uma vez um pouco mais alto.
— Como não? — Olhei pelo retrovisor para o jovem sentado no meu banco traseiro com uma expressão confusa.
— Eu te dei o endereço e você colocou no Waze. Tô vendo daqui — ele apontava para o mapinha na tela do celular. — É para você virar à direita.
Fiquei em silêncio enquanto olhava a tela iluminada.
— Não é isso que tô dizendo — falei em um tom baixo e desanimado.
— O que é então?
— Eu não sei mais para onde ir.
— Como não? Avenida Paulista! Todo mundo sabe ir para a Avenida Paulista! Cê mesmo tava indo até agora.
Me virei para trás e olhei melhor para ele.

— Qual é o seu nome?
— Afonso.
— Quantos anos você tem, Afonso?
— Vinte e quatro. Por quê?
— Afonso, com vinte e quatro anos você sabe pra onde tá indo?
Ele inclinou a cabeça e semicerrou os olhos.
— Para a Avenida Paulista...?
Balancei a cabeça.
Olhei para a frente e suspirei.
Verde.
— Não, Afonso. Pra onde você tá *indo*. Para onde *você vai*.
— Eu não sei se tô entendendo.
Ele coçou a cabeça e olhou para os lados.
Respirei fundo.
— Sabe, Afonso, quando eu tinha a sua idade não fazia a menor ideia do que tava fazendo da minha vida. Não sabia pra onde *ir*. Entende?
Ele balançou a cabeça e ajeitou os óculos, puxando-os para mais perto dos olhos.
— Tá... mas e daí? — ele perguntou, impaciente.
— E daí que até hoje eu não sei.
— Tá bom... mas... O que eu tenho a ver com isso?
Balancei a cabeça em desaprovação.
— Afonso, você sabe o que está fazendo da vida? Para onde está indo? — Ele abriu a boca para responder, mas o cortei.
— Não quero dizer para onde o Uber te leva ou onde fica a Paulista. Eu quero dizer você mesmo. Você *sabe* para onde está *indo*? Para onde a *vida* tá te levando?
Ele ficou em silêncio por alguns segundos. Então inclinou a cabeça e disse:
— Eu sabia. Mas agora... Já não sei mais.

Fiz um sinal de aprovação.
— Exato, Afonso, exato. Ninguém sabe o que tá fazendo. Muito menos para onde tá *indo*.
Me virei para a frente e observei o semáforo mudar de cor. Percebi como Afonso estava em silêncio e coçava o queixo. Dei partida no motor e segui meu caminho.
Pelo menos o Waze sabia que tinha de virar à direita.

— Ao Waze.
O único que sabe
para onde está *indo*.

## *jukebox*

Assim que a música acabou, ele tirou o cigarro da boca e perguntou:
— Você chama isso de música?
Dei de ombros.
Ele semicerrou os olhos escuros como se estivesse refazendo a pergunta.
— E não é? — questionei.
Ele soprou a fumaça para fora de sua boca, me olhou de cima a baixo e disse:
— Ponha mais uma moeda na *jukebox* que eu te mostro o que é música de verdade.
— À vontade. — Dei um passo para trás e estendi a mão enquanto entregava uma moeda a ele.
Fazendo movimentos rápidos, o ruído do couro de sua jaqueta combinava perfeitamente com os botões sendo apertados. Firmando seus olhos nos meus, disse:
— Isso — apontando para a *jukebox*. — Isso é música de verdade. Aprecie. — E deu um tapa leve na máquina.
Assim, "Johnny B. Goode" ecoou pela lanchonete, vibrando pelos assentos vermelhos com sua guitarra. Ele balançava a cabeça de um lado para o outro no ritmo da música.
Pegando minha mão, me girou pela lanchonete.
Sem se importar com quem estivesse vendo, ele se movimentava em sua calça *skinny* e fazia meu vestido rodar sobre o chão quadriculado.
Em cada movimento, ele mostrava como o *rock* havia nascido com ele.

Me levando junto em seu delírio, nossos passos sincronizados convidavam nossos demônios para dançarem juntos, rindo da eternidade de uma moeda na *jukebox*.
Os poucos clientes que ali estavam, observavam silenciosamente o *rock 'n' roll* dominar o coração e a alma de dois amantes, eternizando a cena ousada em uma lanchonete nos anos 1950.

— Ao sistema *sound surround*.

PROCON — Reclamação
14 de fevereiro

**meu queridíssimo Cupido,**

    Vou te matricular em um curso de arco e flecha. Do jeito que tá, não tá dando, não. Você não acerta uma! Nunca consegue acertar os dois, é sempre só um, e sempre sobra eu sofrendo.
    Sofro porque amo muito, sofro porque amo pouco, sofro pelo cara certo, sofro pelo cara errado. Eu tô sempre sofrendo, Cupido, e a culpa é sua.
    Eu sei que você já está desistindo de mim. Eu sei. Eu também estou desistindo de você. Acho que eu não nasci para o amor, ou você só é um péssimo cupido. Você já fez várias besteiras, já me fantasiou de palhaço mais vezes que o Bozo, já me fez passar vergonha de verde e amarelo, mas, Cupido, da última vez você caprichou demais. Desse jeito não dá. Daqui a pouco eu desisto do amor de vez. E você sabe o que isso significa, né? Você vai para a rua sem direito nenhum.
    Vamos fazer um acordo? Você espera eu me recuperar, espera eu ficar bem, espera eu conhecer mais dez caras em uma festa, em Ibiza. Aí eu te dou mais uma chance, mas vê se acerta. De uma vez por todas. E no cara certo também. Chega de

cara babaca na minha vida. Pode ser? Temos um acordo?

Promete só uma coisa: quando a hora certa chegar, quando a pessoa certa chegar, você não vai se atrasar e não vai errar. Vai acertar nós dois com uma tacada só com a sua flecha mais potente. Aí você recebe suas férias e o décimo terceiro.

E eu nunca mais precisarei de você. Ficarei para sempre dançando sob a luz do luar nos braços do meu amor.


Cordialmente,
Seu cliente mais complicado

## a cola do mundo

Existem certos momentos em que os humanos se encontram mais unidos.

Pode ser por um inimigo comum, por um fanatismo mútuo, por problemas complexos, por uma posição política. Mas nada une mais um grupo de humanos do que um belíssimo prato de comida em uma mesa. Seja o que for: lasanha, churrasco, salada, não importa. Tenha certeza de que esses seres humanos nunca estiveram em uma conexão tão profunda. Com um prato na mesa, não há barriga cheia que os separe.

Note: o que faz parte da cultura de um povo? A culinária, é claro!

Um povo que não tem uma culinária típica não tem cultura; um povo que não tem cultura não é unido; um povo que não é unido não é um povo. Nunca esteve tão claro que a comida é a cola que une a humanidade.

A comida é uma identidade que carregamos em nosso estômago. Uma garfada, e lembramos pelo resto da vida. Nos leva para lugares distantes, para tempos em que o relógio não anda, para um novo mundo que era impensável antes daquela garfada.

A comida une antes mesmo de estar pronta: lambendo a massa crua do bolo, perguntando se falta sal, "ponho pimenta?", se preocupando com o forno que não liga direito, com a mesa que ainda não está posta, se a massa já está cozida, se a carne já está temperada, "esqueci o molho da salada!".

Tenho certeza de que, em algum ponto da vida, você já se encontrou com fome, com a barriga roncando e com um pensamento fixo. Quando aquele prato se aproxima, o cheirinho se intensifica. O universo se espreme em uma única garfada. E, ao colocá-la na boca, você fecha os olhos. Uma explosão de sabores. Como fogos de artifício festejando em sua boca. Hum... Você pensa: "Meu senhor, que delícia".

E quando vê, está raspando com o garfo o finalzinho do molho que ainda sobrou em seu prato. E, ao levantar a cabeça, vê na sua frente alguém que não deixa sobreviventes, raspando o molho com um pãozinho.

— Tava bom, né?

— Se tava...

Há muito o que agradecer na vida, mas, principalmente, por ter um prato de comida.

```
                      — À salada
          que como todo dia,
          desejando fortemente
          que fosse lasanha.
```

## livremente partido

Muito se fala sobre como é ter o coração partido, como se sente quando o dividem ao meio. Como é sentir os pedaços se desgrudarem lentamente, um a um, caindo aos poucos em seus pés, e a dor ser tão intensa que a única forma de se salvar é deixar que os olhos transbordem de saudades de tudo que um dia foi vivido. Como é ver o chão deixar de existir e você ficar ali, flutuando sobre os pedaços quebrados do que um dia foi um amor inteiro.

Mas ninguém nunca conta sobre como é partir um coração.

Como é assistir de camarote suas palavras rasgarem o outro. Como é ver o castelo de alguém ir desabando pedra por pedra, sobrando apenas ruínas. Como é saber que cada sílaba dita machucará alguém, vendo cada letra afiada abrir o peito ao meio. Como é observar nitidamente os olhos ficarem marejados e, com uma piscada, ver todo o amor sentido escorrer pelas bochechas até ser perdido para sempre.

No meio de tudo, o seu coração volta a grudar cada pedacinho que diziam que não tinha concerto. No seu peito, um fogo se acende e quanto mais a chama do amor se apaga, mais o incêndio interno se alastra, deixando às cinzas toda a dor de um "para sempre" espinhoso. Quanto mais você fala, mais os laços se rompem, e a felicidade que lhe foi roubada volta com toda a intensidade, mas, ao mesmo tempo, cobra o imposto da solidão de um fim. E quando seu discurso acaba e o estrago já está feito, sua alma estende os braços e fecha os olhos, solta o ar guardado com força e, ao abrir um sorriso, se sente finalmente em paz.

E simples assim, você se torna dono de si mais uma vez. Reconquista a cadeira de CEO e dança com o fogo da liberdade a noite inteira se percebe que, mesmo que um coração esteja partido, agora os dois estão livres. Um não machuca mais o outro. Sabe que agora um amor foi embora junto com as falsas esperanças, com as mentiras e as aparências.

Quando a euforia acaba, você reclina na cadeira com os pés cruzados sobre a mesa e as mãos atrás da cabeça. Ao olhar pela janela, sabe que algum outro dia terá mais uma chance de encontrar o amor dentro de outro coração livremente partido.

```
— A todos que já partiram um coração.
```

## típico parisiense

Desejo um dia ser um típico parisiense. Encontrar a cola do meu coração partido no aeroporto Charles de Gaulle, carregar o luxo de Chanel no coração e na minha alma correr a impressão de Monet.

Abrir a janela da sala e ver, logo ali, o carrossel atrás da Torre Eiffel. Começar a manhã no Café de Flore, comendo um *croissant* ao *voilà*, e apreciar o tempo passar lentamente, vestindo Louis Vuitton, ao sussurro do *bonjour*.

Desejo levar o *glamour* para a estação de metrô e fazer um desfile de moda no trajeto da Cambronne, desaguando no Arco do Triunfo.

Ao andar na rua, saber que tudo que acontece em Paris é mais poético, todos os escritores do mundo deixaram seu amor pela poesia nos cantos mais escondidos.

Desejo me perder nas ruas de Montmartre, deixar que artistas de rua me eternizem em cores vibrantes, sabendo secretamente que, um dia, meu retrato estará no Louvre. Me deliciar com um *ratatouille*, descobrindo que o D'Orsay oferece arte também em forma de comida.

Assistir o sol se pôr ao longo do Sena, fumando um *cigarette*. Brindar aos corações partidos com uma taça de champanhe no Jardin des Tuileries. Desejo entrar na Lafayette em um Louboutin e assumir o controle da Champs-Élysées como se fosse o próprio Napoleão.

Quero pecar na dança sedutora do Moulin Rouge, deixando que a noite escura me dê a vida de Lautrec. Viver como se fosse da Casa de Valois, marcar meus dias no marco zero da Notre-Dame, ser tão leve quanto as bailarinas de Degas e ter um amor digno de Renoir.

Desejo um dia ser um típico parisiense para saber que, não importa quão perdido eu esteja, sempre me encontrarei sob as luzes de Paris.

— Ao brasileiro que luta.

## pré-embarque

Sabe quando você escuta uma música ou lê um poema sobre alguém estar indo embora?

As pessoas constantemente dizem "não vá", "não me abandone", "fique comigo". E sentem um pedaço delas entrar no avião e ver o aceno de longe da janelinha.

Mas você não faz ideia de quão satisfatório é ser a pessoa que está indo embora.

Saber que um universo novo te espera entusiasmado, não saber exatamente o que encontrar quando aterrissar e essa ser a graça que enche seu coração. Olhar para trás uma última vez e ver lenços brancos balançando ao vento e lágrimas escorrendo.

A melhor parte é entrar no avião e saber que você sempre voltará, e que do outro lado do Atlântico alguém estará sentindo saudade do seu sorriso. Ouvir as turbinas se ligando e saber que alguém se importa com você; que, ao voltar, alguém estará te esperando no aeroporto com um cartaz, um buquê de flores e um suspiro seguido de "senti tanto a sua falta".

A melhor decolagem é aquela em que você tem mil razões para ficar, mas mesmo assim está indo.

Você não está escrevendo, você está sendo escrito.

E é por isso que eu não me senti mal ou triste quando você chorou rios no portão de embarque. Ao ver seus olhos vermelhos e suas mãos correndo rapidamente para esconder as lágrimas, me senti amado, importante, bem cuidado, mais do que já senti em toda a minha vida. E,se um dia eu nunca voltar, pelo menos eu te toquei de uma maneira que, honestamente, nunca imaginei.

— A você, que liga quando a saudade bate.

## crise de meia-idade

Pessoas costumam passar pela crise de meia-idade quando estão lá na casa dos quarenta e poucos anos. A crise costuma vir quando se percebe que muito tempo se passou e pouco se fez. Bom, esse não é meu caso.

Minha crise de meia-idade me pegou desprevenido. Tocou no meu ombro e com um sorriso se instaurou dentro de mim, fazendo perceber que já era velho o suficiente para pegar minha vida com as próprias mãos, mas jovem o bastante para não saber o que fazer com ela.

A crise me golpeou, dizendo que eu tinha de me despedir da liberdade de viver a vida intensamente, cheia de amores passageiros, noites longas e pessoas infinitas. Tinha de me despedir da cidade que se joga aos meus pés, do sentimento que enche o meu peito e da adrenalina de fazer o que não me mandaram.

A crise me olhou nos olhos, anunciando que eu tinha de me despedir de curtir a vida adoidado, de produzir arte de todas as formas. Dar adeus às festas ilegais na madrugada, de deixar que a noite preenchesse o vazio do meu coração. Nunca mais jogar para o céu minha responsabilidade, esquecendo os problemas ao dançar com meus demônios na calada da noite.

Quando a crise chegou, percebi que já sabia quem eu era, para onde ia e de onde vim. Descobri que me reinventei tantas vezes, dentro dos mesmos corredores, que aprendi a ser o astro do meu próprio show.

Não vou negar que uma lágrima escorreu quando a crise me contou que tinha de me despedir do muito que havia dentro de mim. Do drama intenso, dos julgamentos, da competição. Disse que partes iriam ser levadas pelo vento, outras nem mesmo pelo tempo.

A crise me deu um soco no estômago quando me contou que eu nunca mais teria a mesma liberdade. Essa sensação de alforria em primeira mão que me conquistava toda vez. Das primeiras decisões que havia tomado sozinho; de ver o mundo como eu quisesse, podendo explorar seus quatro cantos; de fazer o que bem entendesse e, mesmo depois de muitos erros e acertos, nunca estar sozinho; de sempre encontrar, no final da noite, dez ligações perdidas ou alguém para me buscar na delegacia; de saber que os crimes de amor motivados pela rebeldia, que cometi sob as estrelas, valeram a pena, mesmo que tenham me custado mil broncas e castigos criativos.

Minha crise de meia-idade bateu à porta quando eu estava para me formar.

```
— Ao Google, Wikipédia, copiar e colar.
  Sem vocês não teria me formado.
```

## milagre

Milagres acontecem, sim, mas nem sempre do jeito que esperamos. Nem sempre vêm com arco-íris cintilantes e duendes dançantes. O meu, por exemplo, chegou em uma noite fria e me manteve como refém durante muito tempo. Me abalava com constantes tiros de canhões no escuro, enquanto tentava me proteger com uma faquinha de manteiga.

Guardei esse milagre dentro de mim durante anos, esperando o dia em que toda a mágoa que queimava dentro de mim simplesmente me deixasse. Isso eventualmente aconteceu, mas tanto demorou que decidi contar esse segredo. Um segredo que me transformou em uma pessoa completamente diferente. E, de verdade, espero que você que fez isso comigo esteja prestando bastante atenção.

Éramos amigas. Nós nos divertíamos, ríamos, zoávamos, nos ajudávamos, víamos filmes, compartilhávamos segredos, contávamos histórias e fofocas, saíamos. Fazíamos tudo.

Me lembro de tentarmos tirar fotos bonitas, enquanto eu pensava como seria a nossa amizade no futuro. Me lembro de você tentar me ensinar a dançar e eu não conseguir, e de rirmos da minha falta de coordenação. Me lembro das risadas que dávamos, das janelas puladas, das piadas contadas, das músicas cantadas, das matérias ensinadas. E até de vidas passadas. Era tudo tão simples. Tão infantil.

E, de verdade, não sei o que aconteceu conosco. Não sei quando o nosso mundo deixou de ser baseado em revistas de fofocas e *boy bands*. Esse foi o primeiro segredo de que vocês me colocaram de fora. Eu só sei o que eu passei. Isso me lembro bem.

Contei as facas em minhas costas e guardei cada uma delas. Não para uma revanche, mas para ter certeza de que você não me atingiria de novo.

Me lembro da felicidade por ter caído na sua sala. Seria incrível. Estaríamos juntas o ano inteiro. Não tinha como dar errado.

Abaixei o meu escudo e minha espada, retirei a minha armadura e, quando menos esperava, fui atacada por meu mais fiel escudeiro.

Em um mês as piadas sem graça que contavam sobre mim chegaram aos meus ouvidos. Logo depois as longas secadas, os sussurros. A Torre de Pisa foi cedendo para o meu lado, sem dar tempo sequer de segurar.

Passei inúmeros recreios trancada dentro de uma cabine no banheiro, sozinha, apenas com a minha companhia.

Por quê?

Porque, apesar de tudo que vocês me fizeram passar, eu ainda tinha orgulho e não daria a vocês o prazer de me verem sozinha, afinal, eu sei que é isso que vocês queriam.

No fim vocês nem sequer olhavam na minha cara, e só falavam comigo para me dar patadas ou pedir o caderno que vocês copiavam.

Tentava conversar com vocês e, quando me aproximava, se olhavam com os olhos arregalados, falavam em códigos e procuravam ao máximo me excluir da conversa. Pois é, eu percebia. Eu sei, apesar de loira, sou inteligente; afinal, vocês sempre pediam as minhas anotações, não é?

Não diga que estou mentindo, não negue, eu vi, eu senti, eu sofri.

E não se desculpe, não perca o seu tempo inventando desculpas, eu percebi quem você é, e aprendi quem eu sou. Descobri que é infantilidade da sua parte, uma criancice, você tem a necessidade de rebaixar o outro para inflar o miniego próprio.

Não vou negar que parte de mim morreu no dia em que olhei no fundo dos olhos da coordenadora, contando toda a crueldade que acontecia por baixo do tapete, e ela me disse:

"Não é possível. Não acredito."

"Você está fazendo isso consigo mesma", me dizia. Como se eu quisesse me quebrar, me ver em pedaços, criar cicatrizes eternas, complexos que me perseguiriam. Como se eu fosse capaz de me trair do jeito que você me traiu.

Devido ao que você fez comigo, eu tive de aprender a sobreviver, fazer o mundo girar aos trancos e me salvar. Hoje me lembro de tudo e não guardo o menor rancor, dor, nem mesmo mágoa. Entendi que o que aconteceu foi um milagre disfarçado de dor.

E esse meu milagre me ensinou muito. Aprendi a me defender e a chorar no escuro. Aprendi a disfarçar minha tristeza com um sorriso e falar que está "tudo bem".

Aprendi também que dentro do meu coração tem um leão, que deve ser feroz e não deve permitir que todos façam carinho. Aprendi a dizer "não" e a ser fria.

Aprendi que não te devo mais nada, por isso escrevi meu relato de milagre.

Fiz isso por mim, e não por você.

Se eu pudesse, te abraçaria forte agora mesmo e sussurraria em seu ouvido: "Obrigada".

Se não fosse pelo seu veneno, não teria chegado aonde estou, não teria vivido todas as aventuras que vivi, não teria visto toda a beleza do mundo, não teria esse sentimento forte no fundo do meu peito de que é preciso mais, muito mais do que você, para me derrubar. Não teria descoberto quem eu sou, e me apaixonado pela vida. Depois de muito tempo, eu vi que precisei de uma amizade falsa para saber identificar uma verdadeira.

Esse foi o milagre mais doloroso, que me proporcionou uma vida melhor e a melhor versão de mim.

Só mais uma coisa: as facas estão em anexo no fim desta página; não se preocupe, cuidei bem delas. Pode ficar com elas para esfaquear outras pessoas. Inclusive, elas continuam bem afiadas. Cuidado, viu?

— À enviada
(do inferno).

## pó de estrela

Todo mundo é feito de pó de estrelas,
mas apenas uma pequena parte das pessoas tem um universo nos olhos,
constelações no corpo,
uma galáxia em sua mente.
São essas pessoas que te fazem perceber que,
mesmo todo mundo sendo feito de pó de estrelas,
apenas algumas mantêm parte do universo.
São essas pessoas que fazem você sentir como se estivesse tocando o céu e alcançando as estrelas.

                  — À Via Láctea do seu coração.

*rockstar*

    Sentada no sofá, em uma mesa à janela, ela observava a noite enquanto tomava seu café. Olhou para o relógio no balcão. Ele deveria estar para chegar. Deu mais um gole no café, já estava acostumada com essa rotina que ele trazia. Pediu à garçonete uma porção de fritas. Ele deve chegar com fome.
    Na mesma hora, ele entrou no restaurante com óculos escuros, jaqueta de couro e jeans *skinny*, trazendo o frio da noite. Correu os olhos pelo restaurante vazio e andou em direção a ela. Sentou à sua frente e lhe deu um largo sorriso.
    Ela apenas assentiu.
    — Quanto tempo, tava com saudade...
    Ela o cortou:
    — Pode tirar os óculos aqui, Claudio. São duas da manhã e estamos em um restaurante.
    Seu sorriso desapareceu do rosto.
    Ele assentiu e tirou os óculos.
    Ela observou as olheiras profundas que contornavam seus olhos azuis.
    Viu como tinha uma expressão de cansaço.
    Ele olhou em volta.
    — Não se preocupe — ela lhe disse. — Não tem ninguém aqui.
    — Mas e se...
    Ela balançou a cabeça em reprovação, enquanto se encostava no sofá.

Ele deu mais uma olhada à sua volta.
Tirou a jaqueta em movimentos lentos.
Ela sorriu.

— Faz tanto tempo, tava com saudade de você, Claudio.

— Lennon — disse, ríspido. — Meu nome agora é Lennon McCartney.

Ela deu uma risada.

— E como tá sua vida, *Claudio* McCartney?

Ele balançou a cabeça.

— *Lennon*. Bom, está como sempre. Sabe como é.

— Sei, sim, uma vida de astro do *rock*.

— *Rockstar* — corrigiu-a.

A garçonete se aproximou com a porção de batatas fritas e ele se esquivou, tentando esconder seu rosto no cardápio.

Assim que a porção foi depositada sobre a mesa, ela agradeceu com um sorriso.

Ele abaixou o cardápio, olhando a porção.

— Imaginei que você estivesse com fome.

Ele sorriu.

— Obrigado. Tô, sim. Muita. Não tem nada para comer nessas festas depois do show.

Ela deu um leve sorriso.

O observou atacar as batatas.

Percebeu como seus ombros caíam em um movimento relaxado conforme ele se sentia mais confortável. Com certeza estava muito cansado.

— Nossa, o meu agente iria me matar se me visse comendo isso — ele disse em meio ao riso.

Ela apenas o encarou.

— O que tá acontecendo, Claudio?

— Nada. Por quê?

— Eu te conheço. Você não está bem.

Ele colocou uma batata na boca.

Pensou em mentir para ela também.

Pensou em lhe contar como era incrível ter uma estrela em sua porta, uma plateia gritando seu nome, ser capa de revista, estar entre os top 10 da *Billboard*.

Mas ela já sabia.

Decidiu ficar em silêncio.

— Olha, Claudio...

Ele a cortou.

— Meu nome agora é Lennon, Lennon McCartney. Tenho vinte e dois anos e sou uma celebridade internacional. Pare de me tratar como uma criança.

Ela abriu a boca para lhe responder, mas ele continuou.

— Você quer saber sobre a minha vida? Bom, vivo de festas, modelos, drogas, orgias. Mostro meu poder em tapetes vermelhos, sou perseguido por *paparazzi*, o mundo se joga aos meus pés. Posso comprar esse restaurante inteiro, melhor, essa cidade inteira. Sou tão importante agora que vou ter uma estátua minha no Madame Tussauds em Singapura, *okay*? Quer mais informação sobre a minha vida? Lê uma revista. A *Caras* me ama.

Ele pensou em levantar e ir embora.

Mas não conseguiu.

Decidiu comer mais batatas e olhar para fora.

Ela se inclinou em sua direção por cima da mesa.

— Seu nome é Claudio da Silva. Você nasceu em uma família operária, no interior de Minas Gerais. No meio do campo. Você é filho de mãe solteira, que trabalhou a vida inteira para te dar um futuro melhor. Você conquistou fama e sucesso, mas *você não é* fama e sucesso. Você pode querer ser outra pessoa, mas não vai mudar de onde você veio. Não adianta querer se encontrar com a própria mãe em um restaurante vazio de beira de estrada, depois de um show, tentando mudar seu passado. Tenha mais orgulho de onde você veio, só assim vai conseguir ser de fato alguém.

— Mãe...

— Não, Claudio — ela se levantou. — Quer ser um astro do *rock*? Tenha a coragem de um. O dinheiro não basta. Não compra tudo.

Ele pegou seu braço.

— Mãe, fica — ele pediu, olhando em seus olhos. — Por favor. Preciso de você.

Ela assentiu e voltou a se sentar no sofá.

Ele a encarou com os olhos marejados.

Ela o viu como uma criança de novo.

Leu em seu olhar como ele estava dando seu melhor, mesmo que não fizesse a menor ideia do que estava fazendo.

Não ensinaram na escola como agir quando a fama chegasse.

Não lhe disseram como seria difícil perder seu filho para os holofotes.

— Fui ao seu show hoje — ela disse.

Ele sorriu.

Foi?

— Fui — respondeu com um sorriso.

— Poxa, mãe, se você tivesse me contado antes, te levaria para o *backstage*.

Ela riu.

— Não preciso de *backstage*, filho. Além disso, queria fazer uma surpresa.

— Onde você tava?

Ela sorriu.

— No mesmo lugar de sempre.

— Na primeira fileira?
— Na primeira fileira.
Ele deu uma risada.
— O que você achou?
— Do show?
— É.
— Lindo, meu filho. Adorei. Você estava incrível.
— Mesmo, mãe?
— Mesmo, filho.
Ele abriu um largo sorriso, satisfeito.
— Um *rockstar* nato, meu filho.

```
                              — Oi, mãe.
                      Se identificou, né?
```

Algum lugar longe da Catalunha
11 de setembro

*mi cariño*, Barcelona,

   De todos os lugares do mundo para os quais eu fugiria agora, seria para os seus braços, Barcelona, que correria. E como um abraço apertado, recarregaria todas as minhas energias em você, já que de todos os lugares do planeta, nenhum possui tanta energia por metro quadrado quanto você, Barcelona.
   Andaria pelas ruas do bairro gótico, vendo o sol matutino timidamente penetrar nas ruas escuras, enquanto eu observaria Barcelona amanhecer.
   Desceria La Rambla. E, quem sabe, me perderia em uma dança espanhola no meio do caminho. Chegaria a arriscar até o meu gingado em um flamenco.
   No começo da tarde, veria o sol invadir os coloridos vitrais da Sagrada Família iluminando toda a nave junto com o meu coração, *solamente*.
   Assistiria ao pôr do sol no topo do Parque Güell e notaria, subitamente, como Barcelona não é nada mais do que sonhos ambiciosos de Gaudí em forma de cidade. Desejaria secretamente que um dia houvesse uma cidade apaixona-

da por mim, como você, Barcelona, é apaixonada por Gaudí.

Quando a noite caísse, eu me refugiaria nas águas do mar Mediterrâneo que beijam sua costa, Barcelona, e deixaria, sob a luz do luar, que elas me beijassem com a mesma intensidade. No caminho de volta, andaria conforme o *"vale"* espanhol que encontraria nas festas na rua.

No fim da noite, assistiria, da minha cama, os últimos raios de luar entrarem com delicadeza pela janela da Casa Batlló. E ficaria para sempre ali, vivendo nesse delírio que só você, Barcelona, tem de herança dos sonhos de Miró e da genialidade de Picasso.

E talvez, quando a minha estadia estivesse perto do fim, com um gole de sangria, colocaria minha mão esquerda na cabeça da Salamandra, e a direita no peito, e gritaria para os quatro cantos da Plaça de Catalunya ouvirem nitidamente:

*"Te quiero para siempre, Barcelona."*


Do fundo do meu coração,
Mais um apaixonado

## medo do coração

— Sabe, eu sinto como se estivesse correndo um risco iminente o tempo todo. Como se a cada segundo meu coração pudesse ser destruído, aniquilado, incinerado. É como se o tempo todo eu estivesse esperando o momento em que vou sofrer, sabe. Eu sinto como se estivesse caindo e caindo, cada vez mais e mais, até o momento em que eu caio em pedaços. Mas, apesar de tudo e desse medo constante de ter o coração quebrado, eu não me arrependo. Nem por um segundo. É como se todo esse sentimento valesse a pena.

— Mas não é assim que se sentem todos os apaixonados?

```
            — Aos cardiologistas
    que já tiveram o azar de examinar
            um coração apaixonado.
```

## um grito de surto para o mundo

É como se o universo estivesse lentamente se fechando em volta de mim, como se eu conseguisse ver nitidamente as galáxias, planetas, estrelas e meteoros se aproximando pouco a pouco de mim, aumentando a pressão do mundo sobre o meu corpo. A cada estrela cadente que passa em forma de cometa perto de mim, eu fico cada vez mais espremida e compactada, nesse mundo que se torna cada vez menor. Sem parar.

E eu não sei o que fazer. Não sei como fazer com que pare. Com que cesse essa agoniante compressão. E o relógio vira o meu maior inimigo, apontando seus pontiagudos ponteiros contra mim. Girando cada vez mais rápido, querendo testar quanto tempo eu aguento.

E para falar bem a verdade, nem eu mesma sei por quanto tempo mais eu sou capaz de aguentar; quanto tempo eu permanecerei vendo as paredes do mundo se fecharem sobre mim. Mais, mais e mais. E então eu percebo que, talvez, trabalhando a favor do relógio, em uma competição de trabalho por horas eu consiga vencer, consiga reverter a situação.

Mas ninguém me contou que nada pode parar ou vencer o relógio. Mesmo que o sol sofra uma explosão incandescente, o relógio continuará a contar os *tic-tacs* da destruição.

No meio de tudo isso, dentro desse caos, eu vou me perdendo mais e mais. O meu único desejo, o que eu mais quero, é fugir para bem longe dessas cobranças e favores.

Um lugar onde não haja relógios na beira da praia, onde não haja tarefas para serem cumpridas, expectativas a serem alcançadas, competições a serem vencidas, nem retaliações a serem sofridas. Quero fugir para algum lugar onde a minha vida já esteja resolvida, onde eu possa partir direto para o "feliz para sempre".

Mas, enquanto eu não posso fugir, não posso correr, eu expulso todos esses sentimentos para fora de mim, em uma tentativa esperançosa de que esse grito de surto ao mundo faça com que o universo volte a se expandir, de modo que a única força que aja sobre mim seja a da gravidade.

E nada mais.

— À minha psiquiatra.
Sônia,
você estava ausente nesse dia.

**atenção**

Ei, você,
tome cuidado, viu,
pessoas vêm e vão,
mas ex é para sempre.

Pesquise a ficha completa,
histórico familiar,
indícios de falta de sanidade mental,
veja tudo.

Às vezes, nessa,
você se salva.


— A todos que já conheceram alguém pirado.

## sangue de viajante

Em minhas veias corre o sangue de um viajante, um especialista em aeroportos, mestre de salas de embarque.
Que, não importa quanto tempo dure o voo, quer viajar; quer ver o mundo; quer se perder e ser encontrado.
Que precisa ver o que torna os humanos humanos; onde o mundo acaba; onde o oceano quebra; onde o sol nunca se põe; onde o tempo é apenas uma palavra.
Quer saber como outras pessoas vivem; conhecer novas culturas; quer explorar; viver aventuras; se apaixonar pela vista.
E derrama gotas contando suas histórias, deixando seus ouvintes com água na boca, espalhando o sangue de viajante bombeado pelo coração bem-aventurado.

```
                          — À minha mãe,
      que tem que ouvir isso e não se preocupar.
                    Tá tudo sob controle, mãe.
                         Tô juntando milhas.
```

## eu sei

Eu sei que agora dói como nunca.

Seu coração arde quando cai em pedaços, deixando que todo o seu amor seja perdido em uma poça de sangue no chão.

Eu sei que você vai buscar por ela em todas as mulheres que encontrar. Sei que vai procurar o que ela faz, por onde anda, com quem sai. Sei que sentirá uma fisgada quando perceber que as juras de amor e as risadas que saem da boca dela não são mais para você.

Eu sei que, mesmo apagando o número dela e bloqueando na internet, não vai fazer com que ela saia do seu coração.

Sei que para onde olha, você a vê; que vive sentindo o perfume que ela tanto usava; que lembra de como os olhos dela brilhavam e como a sua pupila dilatava.

Sei que foi uma perda. Talvez o amor da sua vida tenha voado pela janela.

Sei que você acha que não vai encontrar ninguém igual a ela.

Sei que falará mal dela para quem quiser ouvir; que vai inventar histórias absurdas; e que fará de tudo para que ela saia como bruxa, em uma tentativa desesperada de torná-la sempre a *sua* bruxa.

Sei que ligará mil vezes, pedindo para ela voltar. E que na milésima primeira, vai usar psicologia reversa para convencê-la a voltar com você. Sei também que não vai funcionar.

Sei que machuca vê-la bem sem você. Sei que se sentirá baleado ao vê-la na balada, sussurrando em ouvidos que não são seus palavras que um dia você também ouviu.
Sei que você nunca esperava que ela te deixasse.
Sei que a odeia por isso.
E sei que, secretamente, você venderia sua alma para passar só mais um minuto com ela.
Na verdade, não sei. Nunca namorei comigo mesma.

— Ao meu ex.
Boa sorte em me superar.
Uma hora você consegue.

## amor-próprio

Me disseram uma vez que eu deveria me amar antes de amar qualquer outra pessoa.
Besteira.
Eu nunca me amei. Mas você.... Eu poderia amá-lo até o final dos tempos.
Então eu entendi, talvez seja por isso que eu te amo. Porque eu, genuinamente, não me amo.
É por isso que eu deixo que você me trate desse jeito, que diga o que você diz, que me use como me usa, que grite como você grita.
Agora eu vejo por que tanto falaram que devo me amar antes de amar alguém. Porque, como dizem, "aceitamos o amor que achamos que merecemos". E, quando você não se ama o suficiente, qualquer amor basta.
Mas, secretamente, eu tenho medo de que, quando aprender a me amar, deixarei de amar você.

```
        — Ao Leo DiCaprio.
        Leo, você é o único
        que pode me tratar
        do jeito que quiser.
```

## o que há de mais amargo

O que há de mais amargo nesse mundo, o verdadeiro veneno para o coração, são as falsas promessas. Aquelas que você faz, mas sabe que não pode cumprir, ou pior, faz, mas, no fundo do seu coração, você deseja profundamente quebrá-las. E, no fim do dia, se vê entre a cruz e a espada, pois terá de escolher entre partir o coração de alguém ou amargurar o próprio. Mas, se tiver que escolher, prefiro partir o seu com um Super Bonder.

— Às promessas de campanha.

## crise existencial

Tenho uma crise existencial.

Uma vontade de largar tudo, deixar a vida de cobranças para trás, viver como um *hippie*, vender minha arte na praia, entrar em uma banda de *rock* falida, cruzar o continente em uma kombi.

Dormir sob as estrelas, acordar com os beijos do sol, cometer crimes de amor na madrugada, criar lembranças de felicidade ao raiar do dia.

Quero entender o significado de "ser jovem".

Quero observar o mundo deitado, subir montanhas de chinelo, entrar no oceano de roupa, deixar que o vento carregue o meu destino, que a maré leve os meus problemas embora, e que, comigo, fique somente a serendipidade, em forma de pés descalços e calor no corpo.

Deixar que eu sinta, todo dia, o peso da palavra "liberdade".

```
                              — Mãe,
                          fica calma.
```

Profundezas das minhas espinhas
Dias atuais

## espelho, espelho meu,

Não aguento mais você.

Toda vez que a gente se encontra, você faz questão de apontar que eu tenho quilos a mais que aquela modelo; não tenho o mesmo rosto angelical da menina do Instagram; não tenho o sorriso Colgate, nem a barriga chapada, muito menos o nariz perfeito da capa da *Vogue* — quem dirá um rosto razoavelmente agradável.

Não tenho nada.

Toda vez que olho para você, lembro que tenho de parar de comer, mas não muito, senão fico feia. Não posso ser muito alta, nem muito baixa. Tenho de usar mais maquiagem para ver se melhoro, mas não pode ser muito, porque os homens não gostam. Tenho de usar mais preto, que realça, mas não pode ser muito, senão parece que não tenho outra cor no guarda-roupa.

Tenho de arrumar minha sobrancelha, marcar uma nutricionista urgente para começar logo uma dieta, falar com a *personal trainer*, marcar uma rinoplastia, arrumar de vez meu cabelo, talvez um botox aqui e ali? Com certeza, se eu fosse mais bonita, tudo seria mais fácil, não é? Todo mundo sabe que, se eu não for bela o suficiente, ninguém vai me amar.

Espelho, sou obrigada a mudar tanto que confesso que dou uma apelada, penso que devo compensar tantos infortúnios estéticos com um pouco mais de massa encefálica. Tenho que ser mais inteligente, mas não muito, porque isso assusta muita gente. Tenho que ser engraçada, mas não muito, senão fico parecendo palhaça. Tenho que ser amigável, mas não muito, senão passam por cima. Mas tenho, principalmente, de aprender a cozinhar, só assim posso casar, não é?

O pior é que, quando estou quase satisfeita com meu reflexo, basta você apontar uma falha tão grande que distorce tudo que ainda sobrava de razoável em mim.

Peço uma trégua.

Uma trégua para você parar de me maltratar assim. Juro, Espelho, faço de tudo, absolutamente tudo, para finalmente te agradar quando colocar os olhos em mim. Mesmo que faça com que os médicos se perguntem como meu rosto continua grudado.


Com todos os meus cravos,
Alguém com DNA que não se encaixa em capas de revista, mas em uma convenção de asmáticos

## segredo de escritor

Achava que nunca tinha me apaixonado,
até que tentei escrever sobre o amor
sem senti-lo.
E vi que não tem como falar sobre algo
que não se sente.

```
                — A tudo que é mal escrito.
```

## vó portuguesa

— Me lembro do meu primeiro namorado.
— Lá em Portugal, vó?
— Lá em Portugal. O nome dele era Manuel. Aí veio o segundo.
— Qual era o nome do segundo?
— Vitor.
— Vitor?
— É. Vitor Manuel.
Vovó colocou o crochê no colo e me disse, séria:
— Não confie em nenhum Manuel, minha neta. Todos canalhas.
— Mas, vó, o nome do vovô era...
— Joaquim Manuel. Por isso que eu sei.
Ela pegou o crochê de volta e ficamos em silêncio, até que ela disse:
— Estás com fome? Tem na geladeira um bacalhau em natas, bacalhau em lascas e bolinho de bacalhau. Queres que pegue para ti?

> — A todos os Manuéis.
> Culpem a falta de
> criatividade dos
> seus pais.

# (des)culpa

Desculpa por eu ter te contado do vazio que eu sentia ontem, desculpa por eu não saber nunca qual música você está tocando, por mais que eu me esforce.

Desculpa por eu só falar sobre assuntos tediosos, dos quais você não gosta, desculpa e por não saber diferenciar *jazz* de *blues*, por mais que você me explique.

Desculpa por não rir das suas piadas, desculpa por eu saber de algumas coisas que você não sabe.

Desculpa por eu não ser uma boa namorada, desculpa por eu não tentar mais, desculpa por não ser perfeita e desculpa por eu sentir tudo.

Desculpa por eu prezar pela minha liberdade, desculpa por eu ter dentro de mim uma falsa felicidade quando estou com você.

Desculpa por você ignorar minhas mensagens, desculpa por você não ligar mais, desculpa por você não se importar com o que eu tenho para dizer. De qualquer maneira, isso deve ser culpa minha de alguma forma.

Desculpa por não ter medo de viver sem você, desculpa por não sentir a sua falta.

Desculpa por não gostar mais de você. Desculpa por eu ter dito que te amava, quando eu nem sei mais o que é o amor.

Espero que um dia você me des culpe.

```
— Desculpa, não tenho a quem dedicar.
```

## tipo de gente

Gosto de gente que
fica um tempinho a mais no carro só para esperar a
música terminar.
Que admira o grafite mais singelo na rua,
que aprecia o barulho da chuva,
que observa o azul do céu,
que presta atenção no amor que acontece de forma
mais simples.
Gente que sabe que é feito de pó de estrela.
Aprecia um poema na forma mais efêmera.
Gente que pensa na gente.
Vê o outro e se interessa pela história.
Que, se pudesse, ficaria horas na biblioteca,
que diz o que pensa
e depois se arrepende.
Gente que é quente,
deixa para ser frio quando não tiver mais solução.
Que dá arrepio, com frio na barriga.
Gente que abre seu peito para a lua,
que não tem medo do amor,
que faz de uma ida para a Augusta uma viagem,
que vê arte e revolução em tudo.
Gente que acredita em mágica de verdade,
no acaso
e no destino.

Gente que aquece as pontas dos dedos,
na hora de escrever.

— Ao estagiário da 98.5 FM,
que só toca minhas músicas favoritas
quando sabe que estou saindo do carro.

## amor de *fool's gold*

*Fool's gold*
[Ouro de tolo]
(sub.)
1 - Um mineral amarelo atrativo para a pirataria por ser facilmente confundido com ouro.
2 - Se refere aos que se enganam ao descobrir uma mina de ouro; usado frequentemente para descrever um investimento que aparenta ser promissor aos desinformados, mas cujo valor é equivalente a nada.

O amor é o que existe de mais complicado. Todo o mundo busca por um pedaço. E, quando encontra, se preocupa se é menos do que merece, ou se é muito mais, se está dando o suficiente de si, se é o amor da *sua* vida se é um amor que vai levar para a vida toda.
Quantas pessoas que você conhece estão presas a um amor de *fool's gold*?
Sabem que o amor em que estão simplesmente não é mais amor, mas não conseguem sair por mil razões diferentes.
Então ficam, tentando achar o amor em algum outro lugar.

— A você que me inspirou,
mas nunca,
jamais,
saberá.

# como é?

— Mas, como que é?
— Como que é o quê?
— Como é fazer as regras do jogo a seu favor? Como é ter seu rosto estampado em notas? Fazer o que bem entende? Como é mandar o mundo calar a boca?

Olhei para baixo e continuei:
— Como que é ter a cada vitória um motivo a mais para apontar o dedo? Culpar as saias pelo seu comportamento, poder tirar a sua camiseta porque está com calor e ninguém falar nada, passar uma hora por semana com seu filho e ser chamado de "paizão", brincar com sonhos como se não tivessem valor, menosprezar qualquer um que esteja do seu lado, fazer piadas sobre a maldade do mundo, dizer que não tem mais gente para competir com você porque não se esforçam o bastante?

Levantei minha cabeça e segurei o olhar.
— Sabe, se fosse eu, não estaria nem aí. Me gabaria do meu dinheiro, saberia o preço de tudo e de todos e não hesitaria: compraria. E quando minha oferta fosse recusada, dobraria o preço. Deixaria minhas pernas bem abertas, só para espremer quem ousasse sentar ao meu lado. Dormiria com modelos em camas dignas de um rei. E nem pensaria duas vezes, seria o CEO com que pais sonhariam em casar suas filhas. Gritaria com todo mundo e sairia quebrando tudo. Faria do meu país meu empregado, só porque eu poderia. Nossa, eu... Eu seria tão macho alfa que meu rosto estaria impresso em capas de revistas ao

redor do globo, e, quando sobrasse só o meu legado nesse mundo, seria eternizado na tela do cinema, em um filme de duas horas, para provar o quão incrível eu fui.

Parei por alguns segundos.

— Mas, sabe como é, nem todo mundo conta com o privilégio de ter nascido macho.

— A todos que têm de manter suas<br>pernas fechadas.

## *rendez-vous*

Foi em uma festa de elite da Alemanha Ocidental que eles se viram pessoalmente pela primeira vez.

Estavam caçando um ao outro pelo mundo, cruzavam a cortina de ferro e atravessavam o fogo, tentando pegar o inimigo. Ambos sabiam que aquela festa estaria cheia de olhares hostis, mas não faziam ideia de que acabariam apertando a mão de sua nêmesis.

Seus olhares frios cruzaram a pista de dança, dizem que de tanta frieza saiu uma faísca.

Uma vez visto, não havia como desver.

Ficaram minutos perdidos nas pupilas inimigas, ponderando se deveriam partir para o combate ou dançar.

Foi ao som de "La vie en rose" que se sentiram vivos pela primeira vez. Tomaram posse da pista de dança, rodaram o salão com seus corpos entrelaçados, o que fez com que a plateia se perguntasse se estavam se amando ou se odiando.

Sentiram que, mesmo depois de tantos treinamentos e lavagem cerebral, havia algo que ainda não tinha sido tocado.

O coração.

Decidiram com o olhar uma trégua, não se matariam naquela noite, não trabalhariam; aproveitariam a doçura das estrelas nos braços um do outro.

Descobriram que, quando há algo tão forte crescendo no fundo do peito, não há o que fazer, só resta sentir muito.

Esqueceram seus codinomes e suas reputações.

Prometeram que aquela noite seria apenas deles.

Em um aperto de mão com o vilão, juraram um armistício que seria tão duradouro quanto as estrelas no céu.

Foram ao bar e pediram dois martínis para brindar.

"Mexido, não batido", disseram ao *bartender* aos risos.

Não queriam que a noite acabasse nunca.

E fariam o possível para que ela não chegasse ao fim.

Decidiram que no dia 29 de cada mês se encontrariam secretamente, não importando onde estivessem, nem mesmo o que deveriam fazer. Todo dia 29 baixariam a guarda e cessariam fogo; não haveria armadilhas, nem combate. Não seriam nada além de amantes.

E assim aconteceu.

A partir daquele acordo, todos os dias 29 eles se encontravam em um beco escuro, numa trégua que venceriam com os raios do sol.

Esqueciam que lutavam em campos opostos o mês inteiro, que a vida de um dependia da morte do outro, que codinomes os separavam, que tinham uma reputação a zelar.

Se deixavam levar pela lua no céu, se rendiam ao outro, jurando seu amor secreto por uma noite e nada mais.

Jantavam um prato de nhoque para celebrar a fortuna de ter encontrado o amor verdadeiro.

Testemunhas juram que os viram colocar uma nota debaixo do prato, em uma superstição de que se encontrariam no próximo mês.

Mas seu amor crescia cada vez mais, e as noites do dia 29 pareciam curtas demais para um sentimento tão grande. Onde antes havia tanto ódio, agora não restava nada além de amor.

Mas eles nunca poderiam ficar juntos, seriam fuzilados por isso.

Seu último *rendez-vous* aconteceu em outubro, em Berlim Oriental.

Não podiam mais viver em mentiras, em disfarces, não conseguiam mais apontar as armas um para o outro quando o relógio batia meia-noite.

Naquela noite, não foram a um restaurante, não pediram martíni, apenas cruzaram a cidade de mãos dadas e se sentaram em uma praça vazia, planejando uma revolução que mudaria o mundo, que os deixaria finalmente juntos e desempregados.

Durante dez dias planejaram seu ato de rebeldia.

Em uma madrugada fria, quebraram com suas próprias mãos o muro que os separava.

Quando atingiu o chão, sabiam que sua missão havia sido cumprida e que nada mais os separaria.

Sabiam que, de uma vez por todas, não precisavam mais se esconder.

Alguns dizem que, na manhã seguinte, pegaram um trem para Moscou; outros, que embarcaram para Nova York. Não se sabe se foram para Casablanca, Shangri-La, Bagdá ou Pasárgada.

Sabe-se apenas que esse caso de amor foi enterrado na Praça Vermelha e está em um dos arquivos confidenciais da Casa Branca.

Um verdadeiro *top secret*, um segredo que os governos escondem, sobre o amor que nasceu entre agentes da CIA e da KGB, que aqueceu corações, salvando o mundo da Guerra Fria.

— A todos os professores de história.
Desafio vocês a me amar.

Gold Coast, Queensland
23 de setembro de 2019

## cinco anos

É como se você tivesse cinco anos de novo.

De repente, você não consegue mais ler as placas direito, não consegue mais se localizar e não sabe mais qual direção seguir. Você não consegue falar com tanta propriedade e nem sequer consegue atravessar a rua sem arriscar a própria vida.

O céu não tem mais aquela conhecida cor de azul anil, ele é mais desbotado, mais claro. O sol brilha mais forte e te queima com mais força.

Você tem que comer aquela comida que odeia, às vezes tem que comer salsicha de churrasco no café da manhã.

Sem falar na urgência de contar tudo. Que você aprendeu a pegar o ônibus, o que comeu no jantar, as pessoas que viu e a palavra nova que aprendeu.

Com cinco anos você se diverte, curte o dia como ninguém. Todo lugar é novo. Tudo o que acontece é diferente. As emoções à flor da pele. Tudo tão intenso e passageiro que você nem vê o dia passar. Tudo vira motivo para risada. E, sem preocupação nenhuma, vive a vida sem frescura.

A única diferença é que, com cinco anos, o crescimento é explicado com um pouco de feijão com arroz.

Aqui não.

Aqui, a gente não se vê crescer, só percebe que mudou quando não cabe mais dentro de pensamentos antigos e o mundo de antes ficou pequeno.

Percebe que agora o peito se abre para o novo, para o desconhecido, para o que ainda não viveu, mas está prestes a viver.

No meio de tudo, lá no fundo da caixa torácica, parte do coração se espreme de saudade de casa.

Saudade de ouvir as patinhas do cachorro no chão de madeira, do cheiro de grama cortada, do som das folhas das árvores quando o vento bate.

Saudade da comida cozida no carinho, do som da janela abrindo de manhã, do barulho que o portão faz quando alguém chega, de como o chão da sala é sempre mais quentinho.

Quando se está distante, se percebe que só em casa você pode ser quem você é e ninguém vai te julgar.

Pode rir, chorar, abrir a geladeira e comer tudo. Assistir TV peladão.

E, de repente, você se vê chorando ao comer um simples prato de arroz e feijão, pois no segundo em que leva a comida à boca, um

zilhão de memórias passam por sua cabeça em
forma de filme; um sentimento que só uma palavra
pode resumir:
   Casa.
   Fecha os olhos.
   Uma lágrima escorre.
   Como se você tivesse cinco anos de novo.

Com todo o meu amor,
como sempre.
P.S.: saudade da mamãe e da vovó. Te amo.

## Associação dos Anônimos Injustiçados

Eu mal havia chegado e o Lobo Mau já foi puxando a cadeira me dizendo que a pior sensação do mundo é ser o vilão da história. Ser culpado por corações partidos, por amores solitários, por felizes para sempre que não são eternos.

A Rainha Má se aproximou e, com a mão no meu ombro, me contou que os vilões dos contos de fada são seres que passaram tanto tempo esperando alguma salvação, que a única maneira de sobreviver foi salvando a si mesmos. E isso é contra a lei em alguns reinos.

Os vilões se aproximaram um a um e me contaram que os crimes que cometeram não foram por mal. Não foram por ira, ódio ou vingança. Eram apenas a única maneira de sair daquela infelicidade em que viviam. Depois de tantas promessas não cumpridas, de tantos corações partidos, ser fiel a si mesmo foi a única opção para evitar mais decepção.

O Lobo Mau disse entre fungadas que não queria comer a vovozinha, ele só estava faminto e, não suportando mais ouvir o ronco de sua barriga, atacou a presa. Nem viu que era velhinha. E o pior, quando começou a ouvir passos se aproximando, ele sentiu tanto medo do próprio fim que achou que, enganando a pobre criancinha, não a machucaria. Mas percebeu que, para sair do problema em que se meteu, teria que comer Chapeuzinho também.

Os vilões me disseram aos sussurros que a Bruxa Nariguda já foi princesa. Um dia, ela sonhou em ser resgatada por um príncipe montado em um cavalo branco. Mas depois de tanto esperar, ela teve a própria liberdade. Obteve seus próprios poderes. E por conta de a princesa ser tão poderosa sozinha, a condenaram por bruxaria. Um título que carrega até hoje, com muito orgulho.

Eles me disseram que a história é contada pelos que sabem escrever, pelos poderosos e grandiosos, podendo alterar o caráter de qualquer um que cruza o seu caminho, e até mesmo de condenar eternamente por uma liberdade invejada.

Os membros da Associação dos Anônimos Injustiçados pediram desculpas por suas ações. Disseram que não são tão maus assim. Seus corações gritavam por uma liberdade cujo preço pagam até hoje.

Quando estava saindo pela porta, Rumpelstiltskin me cutucou, pedindo só mais um minuto de atenção. Ao me abaixar, ele segurou o olhar ante o meu como se o que estava prestes a dizer estivesse guardado por muito tempo: "Nem todo mundo nasce para ser livre. Às vezes, estamos eternamente condenados a ser o vilão de outras histórias. Mesmo que, na minha versão, eu seja o herói".

— Às *fake news*.

## talvez

Antes de conhecer você, imaginava a felicidade de várias formas, mas nunca com profundos olhos castanhos e um sorriso avassalador. Achava que a maior dor que poderia haver seria a de um joelho ralado, até ter meu coração partido.

Contava para mim mesma mil histórias sobre nós. Criava e recriava nossas aventuras, revolucionando a cidade, nossos beijos aquecidos pelo sol, e suas promessas que seriam cumpridas apenas sob a luz das estrelas. Criava um amor tão perfeito que poetas ao redor do mundo escreveriam centenas de sonetos sobre como meus olhos brilhavam mais quando encontravam os seus.

Te amei tão platonicamente que perdi a cabeça. Fiquei tão viciada na profundeza de seus olhos e na pureza de seu sorriso que o tornei um astro de cinema particular, atuando só nos meus sonhos.

Mas tudo acabou quando você me invadiu com a sua realidade. Quando você colocou um ponto final na nossa história que nem havia começado. Senti o peso de cada palavra que saía da sua boca me cortar como cacos de vidro.

Agora eu sei que nenhum joelho ralado se compara com a dor de um "talvez" que não deu certo.

Um "talvez" ao qual me agarro firmemente, dando o máximo da minha boa-fé. Um "talvez" que imagino e crio dentro da minha cabeça. Um "talvez eu te ligue" que grita desesperadamente para se realizar.

Talvez eu amasse minhas grandiosas fantasias que recriava com você. Talvez amasse cada segundo dentro da história de amor que criava. Mas, como o show não pode parar, vou achar um outro ator.

A não ser que seu "talvez" se realize e você de fato me ligue. Aí, se você me perguntar, direi que nunca fiz nenhum teste de elenco. Você terá seu palco de volta, e eu ganharei minha droga favorita mais uma vez. Mas talvez esse seja só mais um "talvez" que morrerá, talvez.

```
           — A você que é azarado no amor.
            Não se preocupa, não, baby,
                          siga para o
             "azar no jogo, sorte no amor",
                     tem uma dica fantástica.
```

## azar no jogo, sorte no amor

Um ditado ridículo estava me fazendo dirigir até o cassino. Acho que depois de tantos pés na bunda e ilusões amorosas, poderia lucrar um pouco, não é?
Quando percebi, já estava na mesa, encarando a roleta. Nunca havia jogado antes, não sabia apostar, não sabia nada.
Minha maior experiência na jogatina se baseava no truco. Olhei para o lado em busca de ajuda, um executivo do meu lado esquerdo fumava um charuto, já a velhinha do meu lado direito me olhava, curiosa.
— Sabe o que fazer, meu filho? — ela perguntou, notando que eu não poderia estar mais perdido.
— É... Não — respondi, sem graça.
Ela apenas balançou a cabeça e disse calmamente:
— Não se preocupe, eu te ensino. Quanto você quer apostar?
— Hum... Cem?
— Ótimo. Troque na banca e ponha as fichas onde achar melhor. É simples.
E realmente era.
Coloquei todas as minhas fichas no dezessete. Tudo ou nada.
A bolinha girava na roleta rapidamente. Meus olhos giravam junto, acompanhando cada movimento. Confesso que parte de mim sabia que as chances de ganhar eram mínimas, mas eu ainda tinha fé. Perder cem reais assim, de primeira, estragaria minha noite.

A bolinha foi parando aos poucos e meu coração foi acelerando.
Fechei os olhos e os cobri com a mão, tentando conter meu entusiasmo.
Respirei fundo.
— Dezessete, preto — disse o *dealer*.
Abri os olhos.
— Ganhei? — perguntei, olhando para a velhinha, confuso.
— Ganhou! — ela disse, batendo palmas.
Não podia acreditar.
O *dealer* me deu mais algumas fichas e apostei todas no vinte e cinco.
Entrelacei minhas mãos quando o *dealer* jogou a bolinha na roleta.
Ela girava de maneira veloz.
"Vinte e cinco, vinte e cinco, vinte e cinco, vinte e cinco, vinte e cinco, por favor, vinte e cinco."
Tenho certeza de que qualquer pessoa racional sabe que as chances de a bolinha cair no vinte e cinco são quase nulas, mas juro que, naquele momento, não me importava mais com a probabilidade e minhas chances de vitória; algo em mim acreditava fielmente que, se eu desejasse muito, talvez conseguisse.
A bolinha foi parando.
Levei a mão à boca.
"Vamos lá..."
— Vinte e cinco, vermelho.
— Ah! De novo!
— De novo! — repetiu a velhinha, sorrindo.
Meu coração começou a bater mais forte.
Eu era mesmo bom nisso.
Ou só muito sortudo.

Com mais as fichas que ganhei, apostei todas no sete.
Três vezes seguidas não tinha a menor chance. Eu sabia disso.
Mas não podia negar que parte de mim queria tanto ganhar. Mais uma vez meus olhos acompanharam cada movimento. Conforme a bolinha parava, meu coração estava atrelado a um único fio de esperança.
"Sete, sete, sete, sete, sete."
— Sete, vermelho.
— Não é possível... — disse baixinho, incrédulo.
A velhinha batia palmas e segurava meu braço alegremente. Não podia parar de sorrir.
Ganhei três vezes seguidas. Quais eram as chances?
De verdade, ganhar no cassino só acontece em filme, todo mundo sabe disso.
Mas quando o *dealer* me deu mais fichas, eu já não podia parar.
O jogo me conquistou.
E eu joguei. Joguei e joguei.
Sem parar.
E só ganhava.
Toda santa vez.
Não sei dizer exatamente depois de quantas vezes, talvez quando ganhei pela quinta vez seguida, a velhinha não se conteve e disse enquanto colocava suas fichas:
— Benza Deus, meu filho. É o que dizem: azar no jogo, sorte no amor.
— Por isso que eu vim para cá — respondi.
Ela parou o que estava fazendo.
— O quê? — perguntou séria.
— É. — Levantei a cabeça para olhá-la. — Por isso que eu vim para cá.

— Como assim, meu filho?
— É como dizem: azar no jogo, sorte no amor. Minha vida amorosa tava um desastre, então eu decidi vir para este cassino. Vai que teria sorte, né?
— Trinta e um, preto.
Ganhei.
De novo.
Ela apenas me olhou e balançou a cabeça, como se estivesse processando a informação.
Pensei tê-la ouvido murmurar algo baixinho, mas deixei para lá.
Após um tempo, o executivo foi embora e as pessoas se aglomeraram à minha volta, observando de perto algo sem precedentes: alguém ganhar tantas vezes seguidas.
Algumas rodadas depois, a velhinha parou de jogar, concluindo:
— Meu filho, sua vida amorosa não deve tá nada boa mesmo.
Concordei com a cabeça e disse:
— Você não faz ideia.
Ela sorriu enquanto dizia:
— Não tem problema, essas coisas têm solução. — E me entregou um cartão. — Continua desse jeito que você vai ganhar. Mas amanhã, quando isso acabar, dá uma ligada, vai que a sorte sorri para você no amor também.
Ela me deu dois leves tapinhas no ombro e foi embora.
Eu nem olhei para o cartão, guardei-o direto no bolso e continuei jogando.
Em resumo, eu ganhei.
Muito.
Muito mesmo.
Algo parecido com *Proposta indecente*.

Achei que estava na hora de parar quando percebi que, mais um pouco, eu quebraria o cassino e a máfia me mataria na mesma hora.

Fui para o meu quarto de hotel sem acreditar no que havia acabado de acontecer.

Foi então que me lembrei das palavras da velhinha.

Peguei o cartão no meu bolso.

> **Dona Pepita.**
> **Encontro seu amor, ou o trago de volta.**
> **Pague após o resultado.**

Se é "azar no jogo, sorte no amor", depois de quebrar um cassino, talvez eu precisasse mesmo consultar uma Mãe de Santo.

```
— Aos que arrasam no jogo do bicho
  (que é menos ilegal que cassino).
```

# jardins

Mais uma festa cheia de pessoas vazias. Palavras jogadas fora em uma tentativa de se mostrar melhor. Sapatos caros, joias reluzentes e roupas de alta costura que tentavam compensar o tempo, contado em relógios de ouro, que era desperdiçado em competições de narciso. Narizes empinados por plásticas e sorrisos falsos, que tentavam ao máximo esconder o menor resquício de infelicidade.

Não aguentava mais uma noite consumida por taças de champanhe na boca de pessoas que poderiam comprar até mesmo estrelas. Pessoas bonitas demais sem nada a dizer. Alianças atreladas a pré-nupciais assinados por amores de fachada.

Não aguentava mais.
Não podia mais viver assim.
Eu não era assim.
Não me encaixava.
Coloquei minha taça de cristal na mesa de centro e andei em direção à porta.

E, sem olhar para trás, saí correndo na esperança de encontrar algo real na Oscar Freire.

— Sim.
Eu moro nos Jardins.

## eu também quero me apaixonar

Também quero ver as estrelas de uma forma diferente do convencional. Também quero achar felicidade em tudo. Quero dizer que o dia amanheceu bonito, só porque alguém especial acordou ao meu lado.

Quero um amor tão trágico quanto o de Romeu e Julieta. Um amor tão eterno quanto o de sr. Darcy e srta. Bennet. Tão avassalador quanto o de Edward e Bella. Tão impossível quanto o de Jack e Rose.

Quero alguém para chamar de meu. Alguém com quem dançar na chuva, com quem encontrar felicidade no final do dia, para me perder na rua em que moro. Alguém com quem viver aventuras depois do toque de recolher, que proteste na cidade cinzenta a favor das cores, que cante sem melodia, que me faça acreditar que talvez, só talvez, o mundo não seja tão cruel assim.

Alguém que me faça acreditar que os buracos no meu coração possam ser preenchidos. Alguém que me faça acreditar que a bagunça que eu sou lembra o universo. Uma zona, mas uma zona que fascina.

Quero entender o que Nicholas Sparks escreve tanto. O que fez Vinicius de Moraes grandioso. Entender como é possível se sentir seguro ao dar as mãos. Como o tempo para dentro de um abraço. Como a pupila dilata, o coração dispara, o estômago borbulha, como a vida banal do nada se torna, de um dia para o outro, tão mágica. E como o mundo desaba quando o amor acaba.

Quem sabe, o amor tenha sido feito apenas para pessoas eternas. Para pessoas intensas. Pessoas aventureiras, que se deixam levar. É possível que algumas pessoas estejam eternamente condenadas a passar a vida inteira procurando dentro do outro o que guarda dentro de si.

— A você que está sozinho.

## lenço branco

Às vezes, o que machuca a gente não é o fim em si, mas a despedida que vem antes. Aquele adeus difícil de dizer, que fica entalado na garganta, com uma voz embargada e olhos marejados.

O adeus seguido de diversas aventuras que passaram do prazo de validade. A dor que vem quando se percebe que o que era para ser eterno chegou ao fim.

Quando você não quer ir, mas sabe que precisa. E dói pensar que, se um dia seus caminhos cruzarem novamente com aquele alguém, você não será o mesmo de antes. E o que vocês viveram vai ficar vivo eternamente na memória, sabendo que não deu certo. Pelo menos não para sempre.

As despedidas são, como dizem, agridoces. Doem, machucam, mas são necessárias para que se possa crescer e perceber o que vale a pena deixar ir. Tendo em mente que, se for para ser, vai voltar algum dia.

Agora é duro, mas pelo menos das memórias nunca haverá despedidas.

```
        — Eu tinha alguém para dedicar,
                  mas não me lembro...
             É para algum estrangeiro...
```

**eu te amo**

    Meu amor, eu te amo tanto que é uma paixão platônica. Incondicional.
    Amo o jeito que você faz com que tudo que saia da sua boca pareça poesia. O jeito de dizer exatamente o que quero ouvir, o jeito com que beija meus ouvidos com sua voz e toca meu coração.
    Amo como você sai perfeito em todas as fotos, como você está sempre sorrindo, como usa roupas extravagantes, como é um *rockstar* que faz da sua vida meu show, e dos meus sentimentos, plateia. Te amo por ter mudado a minha vida, por estar sempre presente nos meus pensamentos, nas fotos em meu quarto. E quando não está, te encontro sempre na rádio.
    Por você seria *paparazzo* por um dia, te seguiria para onde você fosse, gritaria o ar para fora dos meus pulmões, iria a pé até o Maracanã, acamparia na porta de estádios, faria de tudo, só para ter uma chance de olhar para você.
    Amo você, apesar dos escândalos, dos rumores, de você estar sempre nas notícias, de você me colocar sempre na primeira fileira, nunca no *backstage*, de você ter meio milhão de meninas jogadas aos seus pés.
    E, principalmente, eu te amo mesmo que você não faça ideia de quem eu sou.

```
           — A Harry Styles,
            meu cantor favorito,
           que nunca vai ler isso.
```

# mentiras

Em parte eu me culpo por ter ouvido tantas das suas mentiras, me culpo por ter fingido que acreditava, por ter negligenciado a verdade. Não disse que acreditei. Não disse que as comprei. Não disse que as engoli. Eu simplesmente as guardei em um potinho, toda vez que você dizia algo, com cuidado, para que não me contaminasse.

A cada dia, esse potinho está mais e mais cheio, lotado de mentiras que você conta para mim diariamente, me fazendo acreditar que, talvez, eu simplesmente não seja digna de suas verdades.

Depois de tanto estilhaçar a sinceridade, a sua mentira constante se tornou rotina, subestimando a minha inteligência, acreditando que eu nunca duvidei de suas palavras, achando que nunca duvidei de suas histórias mais absurdas.

O que mais me machuca é que nunca menti para você, nunca tentei te enganar, nunca tentei mascarar o que eu realmente sinto e sou, nunca tentei colar os pedaços quebrados do seu coração com palavras falsas, mas você sempre tenta quebrar o meu com verdades turvas.

Acredito que, muitas vezes, você nem tenha culpa das falácias que saem da sua boca, acredito puramente que são apenas frutos do seu narcisismo. Acredito que essas suas pequenas mentiras sejam a fuga da sua realidade hostil, mas acontece que elas assassinaram o nosso amor.

Quando o meu coração estava com fome, comprei suas falsidades não como uma nova realidade, mas como uma maneira de sobreviver à minha própria solidão.

Só que isso já não acontece mais, já não acredito nem mesmo em suas provas mais sólidas de amor. Hoje em dia, chego a duvidar até mesmo da sua boa-fé.

Você não percebe o caos que cria ao seu redor, não percebe que já desmoronou tudo à sua volta, que apenas sobraram ruínas. Apesar de sal e açúcar se assemelharem muito aos olhos, quando se prova é fácil diferenciar um do outro. Agora que provei o seu doce terrivelmente salgado, não consigo mais engolir nada que você cozinha.

O problema é que, toda vez que uma mentira é contada, uma verdade morre.

— Não é para você.
(Tá vendo, é assim que se mente.)

Do outro lado do Oceano Pacífico
12 de julho de 2020

*my dear* Gold Coast,

Quero pegar um voo e voltar para seus beijos carinhosos.
Juro, *baby*, no momento em que a tivesse em meus braços, nunca mais a deixaria.
Teria você sempre perto de mim, sentindo seu calor. Minha alma voltaria ao lugar e meu coração, a bater em paz.
Assistiria ao pôr do sol degradê sem pressa, observando a cidade ficar lentamente dourada.
Nadaria sem medo em suas águas translúcidas.
Passaria a tarde inteira deitada no quintal, vendo o azul do céu ir desbotando aos poucos, deixando com que pedaços de tinta caíssem em minhas bochechas. Sentaria na areia de olhos fechados e sentiria o vento levar meus problemas embora, aos beijos, junto com os grãos de areia.
Se eu pudesse, Gold Coast, voltaria a rir despreocupada.
Pedalaria a cidade inteira ao seu lado em busca do melhor sorvete, colocaria um Band-Aid no seu joelho ralado na *highway*, dançaria com membros de gangue à luz do luar, tomaria caldos com surfistas às 6 da manhã, pularia do abismo direto no mar sem me preocupar com a queda.

Sentaria em um banco e notaria turistas se apaixonarem por você; entendo o porquê de se chamar Surfers Paradise.

Se eu pudesse, sentaria na mesa 208 do Outback e, em silêncio, observaria os garçons rirem das palhaçadas da *hostess*.

Se eu pudesse, iria à Constance Avenue a pé, bateria na porta da pequena casa roxa e diria como nunca me senti tão em casa, tão livre, tão amada estando a milhares de quilômetros de onde eu nasci.

Gold Coast, se eu pudesse, nunca iria embora.

Mas eu não pude.

Tive que partir.

Tive que deixá-la.

Mas, *my dear* Gold Coast, você bem sabe que deixei o aeroporto partida ao meio. Meu corpo embarcou aos gritos e atravessou o oceano com os olhos cheios de lágrimas.

Minha alma vaga constantemente por suas praias em busca de uma chance de retorno.

Já meu coração...

Está enterrado como um tesouro pirata que sairá debaixo da areia quando tiver certeza que viverei pelo resto dos meus dias em seu verão eterno, com uma brisa constante no rosto. Quando souber que a minha saudade eterna chegou ao fim.

Com todo o meu amor,
Sua eterna cidadã

## se a terra fosse plana, talvez

Ela entrou no carro, batendo a porta com força.
Jogou a bolsa de couro no banco do carona.
Abriu o zíper, dando uma última checada. Dinheiro, passaporte e chaves. Estava tudo ali.
Girou a chave em meio a um suspiro de coragem.
Ela deu a partida no Mercedes, ouvindo o canto dos pneus.
"Não olhe para a casa", pensou.
Desceu a rua com pressa, tentando esquecer o que estava deixando para trás. Olhava para o asfalto apenas, negava tudo que passava ao seu lado.
Ela pensava para onde iria desta vez. Belize? Dubai? Hong Kong?
Nenhum lugar parecia ser atrativo o suficiente. Estava tudo ficando batido. Tudo igual, nunca mudava. Sempre um centrinho, um rio e uma igreja.
"Que falta de criatividade, não é?"
Segurava o volante com força, pensando em todos os motivos para ficar. Mas como negar todos as razões para ir? Sentia seu coração palpitar entre o dever e a urgência de fugir.
Chegou ao aeroporto afobada, apenas com uma bagagem, e se dirigiu ao balcão que já conhecia. Olhava desesperada para o relógio no painel de voos; logo alguém sentiria sua falta, tinha que ir rápido. Passou a mão pelo cabelo, tentando ajustar os fios rebeldes, e disse para a atendente:

— O próximo voo para o lugar mais longe daqui — enquanto entregava um bolo de dinheiro.
A atendente nem precisou olhá-la nos olhos para confirmar.
Estava fugindo.
Já havia visto aquela cena dezena de vezes.
Em todas, o papel era usado no lugar do comum cartão de plástico, afinal, não deixa rastros.
A mulher batia as unhas no balcão em uma tentativa de amenizar a ansiedade.
A atendente entregou a passagem e apontou para esquerda, dizendo:
— Portão 13.
Com a bolsa nas mãos, correu para o embarque o mais rápido que podia.
Tinha que sair dali.
O que poucos sabem é que a atendente e a mulher que fugia já se conheciam. Se viam pelo menos uma vez ao mês, sempre da mesma forma; a moça apressada, carregando uma bolsa grande de couro, pediria passagens para o próximo destino o mais distante dali. Mas sempre voltava.
A atendente sabia que o mundo é redondo, acabaria sempre dando a volta. Se a Terra fosse plana, talvez conseguisse fugir de casa, mas nunca da própria companhia.
Sabia também que não importava se o travesseiro fosse russo ou uruguaio, o peso seria o mesmo.
Dentro do avião, enquanto observava tudo o que deixava para trás diminuir lentamente, ela brincava com o fino papel em suas mãos.
Sua passagem de volta.

Encostou a cabeça no assento, perguntando a si se dessa vez deixaria de usá-la, mas, ao som das familiares turbinas, já sabia a resposta.
Uma passagem apenas de ida requeria muito mais coragem.
Além disso, a fuga passageira enchia o peito com a busca incansável por uma razão para viver.

```
                — A todos que não fazem algo
porque sabem que o uniforme de presídio fede.
```

## universo caindo

Há vezes na vida em que, se fizermos só um pouquinho de esforço, se esticarmos só um pouco mais alto o braço, podemos pegar o mundo inteirinho em nossas mãos.
O problema é que, às vezes, quando nos esforçamos tanto, quando focamos tanto, deixamos que algumas estrelas, constelações e até mesmo galáxias caiam.
Mas é nesses momentos que temos que pesar à nossa volta. E ver o que realmente é mais pesado.
Às vezes nos agarramos a planetas e deixamos galáxias caírem.
Às vezes nos agarramos a galáxias e deixamos planetas despencarem.
Às vezes deixamos tudo cair e nos agarramos a buracos negros.
Mas há vezes perigosas, em que não nos agarramos a nada, deixamos tudo ali, do jeito que está, e ficamos observando o Universo
se
desprender
sozinho.

— A ignorância é uma dádiva.

## era uma vez um príncipe

Era uma vez, em um reino nem tão distante daqui, um belo príncipe, que morou sua vida inteira no mais belo palácio, constantemente rodeado de ouro e das mais brilhantes joias. Frequentava diversos bailes e festas, no mais alto luxo e riqueza. Tudo o que ele queria estava na ponta de seus dedos, o mundo à sua disposição na hora que quisesse.

Mas nem sempre a vida de um príncipe é completa. Apesar de ter seus bolsos cheios de moedas de ouro e seu palácio rodeado de pratarias, algo faltava na vida do principezinho. Ele se sentia sozinho nas mais bem frequentadas festas, com a barriga vazia nos mais fartos banquetes. E educado com tanta frieza, o príncipe não conhecia nada além do próprio ego e orgulho, que crescia constantemente.

Começou não olhando para quem o servia todo dia, depois sequer fazia questão de saber de quem era a festa a que comparecia, e, pouco tempo mais tarde, o príncipe nem enxergava os olhos do rei e da rainha, que, por sua vez, também foram jovens reais um dia. Parecia que o príncipe andava com um espelho na mão. O pedestal no qual ele se colocava era tão alto que perdeu de visão até mesmo a própria compaixão. Quanto mais o príncipe guardava essa falta dentro do peito, mais vazio ele se tornava. Cada dia que passava, o castelo ficava mais negro e menos "um lar".

Quando chegou ao reino a notícia de que uma princesa estava em apuros, presa em uma torre alta, o príncipe não pensou duas vezes: decidiu provar sua virilidade, mostrando a todos que seria o único capaz de salvá-la.

Com seu cavalo branco, galopou até a torre mais alta. Chegando lá, com sua coroa cravejada de diamantes, observou a torre de cima a baixo e gritou pela princesa. Ela o observou, já sabendo do que se tratava. Rapidamente disse ao príncipe que, antes de ser salva, ele deveria dizer a ela o que o seu reino tinha de mais valioso.

O príncipe, sem entender muito bem, respondeu que o que seu reino tinha de mais valioso era ele, o próprio príncipe.

"Vossa majestade não acha que, antes de fazer tal afirmação, deveria analisar todo o reino?"

Ante tais palavras, o príncipe ponderou e disse a ela que voltaria logo de manhã com o que ela pedira.

Na manhã seguinte, o príncipe retornou, segurando um belíssimo cetro de ouro, decorado com safiras e esmeraldas. Disse à princesa que este era, sem dúvida, o que seu reino tinha de mais valioso.

"O senhor por acaso viu todo o reino para ter tanta certeza?"

O príncipe disse que não, mas não precisava, tinha certeza de que nenhum aldeão tinha algo mais valioso do que aquele cetro.

"Príncipe, não pedi que me dissesse o que tens de mais caro. Quero que me diga o que é mais valioso. Veja seu reino, ande nas vilas, visite as casas dos aldeões e cultive com os camponeses. Quando estiver pronto, volte e me conte. Não vou sair daqui até o seu retorno."

Ela sabia que se quisesse o coração do príncipe, teria que ajudá-lo a juntar os pedaços.

O príncipe fez o que a princesa lhe pediu, a muito contragosto. Foi às vilas de seu reino. Nas ruas, ele viu com seus próprios olhos um pouco da caótica vida plebeia.

Observou atentamente o riso despreocupado das conversas despretensiosas, as tabernas lotadas e bibliotecas vazias. Viu os que esbanjavam muito, e os que não tinham nada. Trabalhou com alguns aldeões, notando atentamente cada detalhe. Festejou a colheita com alguns e sofreu com a falta da safra de outros. Depois de um tempo, soube a resposta da princesa.

Chegando à mais alta torre com roupas simples e um pangaré, chamou a princesa, que, quando o viu, abriu o mais largo sorriso.

"Princesa, muito vi de meu reino. Muito aprendi. Visitei os lugares mais inóspitos, vi muita felicidade no mais simples. E agora tenho a sua resposta: o que meu reino tem de mais valioso é o próprio reino. É a minha casa, e a casa de tantos outros, o melhor lugar para se estar e para se conhecer. E é o que tenho a lhe oferecer."

E assim, a princesa foi resgatada da torre. E, ao salvá-la, mal sabia o príncipe que era ele quem tinha sido salvo.

Mas e a princesa? Se prendeu em um palácio?

— Ao Collor e à sua princesa Zélia.

## era uma vez uma princesa

Era uma vez uma princesa que tinha acabado de ser resgatada da mais alta torre.

Ela foi levada para o luxuoso castelo do príncipe. Lá, ela encontrou o mais alto luxo, riquezas e todas as cores de ouro e pérolas.

Apesar de o príncipe tê-la resgatado em um burrico, vestindo farrapos e com as mãos sujas de terra, a princesa viu que dentro do castelo o luxo continuava o mesmo. E ele continuava sendo o príncipe que sempre fora. Havia nascido com o sangue azul correndo em suas veias e, mesmo se comportando de maneira diferente, nada podia alterar a cor do sangue que pulsava em seu coração.

A princesa percebeu que, apesar de ver o mundo de outra forma, o príncipe ainda se via como o governante nato que era. Mas o que mais a chocou foi como o príncipe a enxergava.

As expectativas e cobranças que despejava sobre ela. Ele a via como uma forte e a tão esperada rainha que salvaria o reino e o próprio príncipe.

Ele lhe dizia diariamente como aguardara durante tanto tempo uma salvação como ela, e como o reino precisava dela.

Todo dia de manhã, logo na primeira refeição do dia, o príncipe despejava na xícara de café dela todas as suas angústias e medos e como ela os resolveria em um piscar de olhos.

No almoço, ele servia com a salada os traumas que o reino passara em tempos difíceis e como um futuro próspero estaria por vir. Por conta da chegada dela, é claro. Já no jantar, ele servia com a sopa palavras de como era grato por tê-la, como nenhuma outra mulher se compararia a ela, como ela era a salvação da vida dele.

O que os criados não viam era como ele a tratava quando ele mesmo não se encontrava.

Quando ele se perdia no próprio universo, descontava nela tudo o que ele tinha de mais monstruoso. Dizia constantemente pelos corredores como ela era inútil, como ela não tinha um pensamento estratégico, como ela não entendia de finanças, como ela não sabia lidar com o povo.

Nos fins das reuniões, quando a princesa negociava acordos e tratados magníficos para o reino, o príncipe assoprava em seu ouvido como o Bobo da Corte conseguiria fazer acordos melhores e, talvez, até conseguisse lucrar um pouco mais. Sem contar as vezes em que o príncipe trocava palavras com damas de companhia, e quando desfilava com alguma outra senhora na corte.

A princesa, quando se pronunciava contra as ações do príncipe, quando questionava essa indecisão que o cercava, recebia como resposta dele que ela era insana, e que suas palavras não faziam o menor sentido. Mas, se ele visse a princesa rindo de alguma palhaçada do Bobo da Corte, ah, virava a própria fera. Fazia sua ira chover sobre todo o palácio, deixando-o escuro por dias, até semanas.

Mas, à noite, quando ele visitava seus aposentos em busca de carinho, sabia dar a ela um conforto como nenhum outro, sabia amá-la de verdade, e fazia com que ela se sentisse desejada.

E a coitada da princesa tinha o coração machucado conforme sua estadia no palácio se prolongava. Ela se perguntava diariamente o que estava acontecendo com a sua felicidade. Por que estava desaparecendo? Por que o brilho em seus olhos se apagava a cada dia? Ela buscava mais e mais respostas em seu travesseiro molhado durante a noite.

Ela se perguntava se o que o príncipe lhe oferecia era realmente amor. E como ela haveria de saber? Passara a vida inteira trancada na torre, buscando alguma salvação. Sua única base de informação sobre alguma forma de amor, eram os inúmeros contos de fadas que lia para passar o tempo. Ela sabia que o amor dos contos de fadas era algo utópico, impossível de achar. Mas não se aproximava em nada do príncipe que deitava ao seu lado.

A cada dia, ela se via mais sufocada, se sentia mais presa no palácio do que na torre que habitara. Começou a perceber que não estava mais suportando a infinidade dos "felizes para sempre". Foi então que, em um dia ensolarado de verão, quando o príncipe estava especialmente mais perdido em seu próprio universo, ela pulou a janela do segundo andar do palácio.

Com seus cabelos soltos ao vento, segurando com as mãos a barra de seu vestido de seda e deixando que o sol a beijasse e o vento a abraçasse, saiu correndo, fugindo do palácio. Quando estava na metade do jardim, ouviu a voz do príncipe a chamando. Ela o ouvia gritando palavras de amor, em uma tentativa inútil de fazê-la desistir de sua felicidade.

Mas ela já estava longe demais, decidida demais, livre demais para voltar à prisão do palácio. Ela, agora, não era mais princesa nenhuma. Não pertencia a príncipe nenhum. A corte nenhuma. A reino nenhum. Ela era dona de si mesma. Não estava mais à espera de príncipe nenhum. E ninguém poderia resgatá-la da própria liberdade. Estava feliz para sempre.

```
        — A você que está se perguntando
           por que não pulou fora também.
```

## *the end*

O fim é sempre a parte mais dolorosa. É inevitável. Mas o fim é o encerramento de um ciclo. É um adeus reprimido.

Sabemos desde cedo que nada dura para sempre, mas, quando esta lei é posta à prova, é sempre um pouco mais triste. Afinal, é o nosso coração que se machuca.

Os começos são tensos. Não se sabe o que virá e estamos preenchidos pela sensação de novidade a cada esquina, tendo que nos adaptar às novas circunstâncias, a um novo ciclo.

O meio é preenchido por emoções e leveza. Já se sabe com o que está se tratando, há conhecimento suficiente das constantes para tomar decisões astutas e experiência suficiente para aproveitar o máximo que pode sem se machucar.

O começo ou o meio não costumam mudar muito uma pessoa. Mas o fim... O fim pode causar mudanças drásticas, deixando feridas eternas. Por isso aviso desde já: começos e meios esplêndidos são ótimos, mas desaguam em um final mais doloroso.

Aproveite o começo, se jogue no meio e não tenha medo de derramar algumas lágrimas no fim.

Isso só significa que algo foi tão bom a ponto de não querer deixar para trás. E talvez, quem sabe, esta seja a verdadeira meta.

Alguns fins doem mais do que outros. Mas, sem eles, não seríamos tão maduros quanto somos hoje. Sem eles, não poderíamos pensar nos momentos bons que vivemos, antes de dormir. Não poderíamos contar histórias épicas em mesas de bar. Tampouco saber que realmente vivemos uma vida.

Tem aqueles fins de que nem temos coragem de nos despedir. E ficamos vivendo no passado como se fosse o presente. Como se aquela banda ainda estivesse tocando, aquele amor ainda fosse quente, aquela viagem estivesse com a passagem em dia, a infância fosse infinita, a relação ainda funcionasse.

Como se o fim de algo para um novo começo fosse a pior situação do mundo. Como se o adeus fosse um degrau abaixo. O que não te contaram é que o fim que passa da data de validade cria fungos e apodrece. E leva tudo o que vê pela frente.

O fim é triste e cruel, mas é necessário. Antes você crescer do que apodrecer por pura covardia de um adeus. Ninguém quer ler *"the end"* em letras garrafais, mas ficar rebobinando o filme como se estivesse ainda na tela platinada do cinema não vai fazer com que o John Travolta esteja atuando pela primeira vez.

```
            — Ao fim deste livro.
    Calma, leitor, você sempre pode relê-lo
             ou esperar pelo próximo.
```

## agradecimentos com nomes e motivos

Agradeço primeiramente a você que comprou este livro. Espero que goste. Espero que tenha pago à vista.

Agradeço a você que de fato leu o livro. Muito obrigada. Espero que tenha gostado, e, se gostou, não sinta medo e espalhe a palavra divina.

A você que está lendo os agradecimentos. Você de fato gostou e ficou curioso, né? Fico muito feliz por ter chegado até aqui. Se quiser mais, visite meu site www.sganeff.com, você vai adorar.

E a você que serviu de inspiração. Sem você, não teria livro. Obrigada pela oportunidade.

Agradeço à minha leitora voraz, que ouvia dia e noite eu contar e recontar as mesmas histórias. Que sentava comigo no sofá e lia meus textos espelhados na tevê. À minha leitora voraz, que, quando dava opinião, ouvia em resposta: "Você não conta, você é minha mãe." Minha leitora voraz, que, toda vez que entrava no meu quarto e me via escrevendo, fazia uma cara de brava misturada com orgulho e dizia: "Não era para você estar estudando?". Minha primeira fã. Agradeço cada letra à minha Mãe Bióloga. Mãe, te amo. Você é incrível. Obrigada por sempre acreditar em mim.

À minha amada Vó Portuguesa, que sempre me abasteceu de livros. Em todo aniversário, uma caixa parava na minha cama com o cheirinho da Vovó. Me encheu de histórias sobre a sua infância, nunca ficou brava por eu fazer perguntas demais, tem o melhor abraço e um amor puro. Me acompanhou durante minha vida inteira e tem várias pitadas na pessoa que eu me tornei. Além de sempre colocar os mais variados tipos de bacalhau na minha barriga. Obrigada, Vovó. Te amo.

Agradeço também ao cara que caiu de paraquedas na minha vida, mas me apoiou em cada decisão. Lia os textos que eu mandava e me ouvia falar sem parar. Reclamava, mas gostava. Sempre me presenteou com aquele livro de edição especial e capa dura, com um olhar que prometia que algo grandioso aconteceria um dia. Obrigada, Menino Máximo.

Agradeço aos meus professores. Vocês não recebem créditos suficientes. Vocês passaram sua paixão por histórias, pela arte e por literatura e me fizeram chegar aonde estou. Sem vocês, nada disso seria possível. Agradeço à minha professora de português que emprestou seus livros favoritos para eu ler em casa. E à minha adorada professora de literatura do Ensino Médio que colocava tanta paixão em cada aula que me fez acreditar que existe algo mágico nas palavras não ditas de uma folha em branco. Em uma aula, eu te fiz uma pergunta que te fez virar para meus olhos e dizer: "Essa ainda vai se tornar uma escritora. Uma grande escritora".

Minhas grandes amigas, devo muito a vocês. Obrigada por terem me apoiado nessa jornada e por terem dito repetidas vezes: "Tá lindo, Sossô. Adorei".

Agradeço, é claro, à Editora Labrador, que, além de ter abraçado o meu sonho, está me dando a oportunidade de escrever os agradecimentos de um LIVRO aos dezessete anos de idade. Muito obrigada a toda a equipe: Steph,

Pam, Rô, Gabi e Gabi, Fê e todo mundo! Obrigada por tudo. Muito obrigada por terem me ajudado tanto! Agradeço aos grandes escritores presentes na minha estante. Muitos de vocês já passaram dessa para melhor, então se lerem ficarei preocupada, mas agradeço por terem me abraçado em cada parágrafo, por terem me recolhido quando precisei, por terem me mostrado que as páginas são o nosso lar. Foi pela escrita de vocês que descobri a minha. E, acredite ou não, agora meu livro vai ficar entre *O grande Gatsby* e *Harry Potter*. F. Scott Fitzgerald e J. K. Rowling, abram alas. E Paulo Coelho, cuidado, que eu um dia vou sentar ao seu lado na Academia Brasileira de Letras, me aguarde.

E, por fim, a você que chegou até a última página deste livro.

– Todo o meu amor por você.

Como sempre.
TÔ ZOANDO.
Com muita verdade.

Esta obra foi composta em Courier New 10 pt e
Merriweather 10 pt e impressa em papel
Pólen soft 80 g/m² pela gráfica Meta.